THE ILLUSTRATORS

Dick Bruna

Bruce Ingman
Ramona Reihill

THE ILLUSTRATORS

Dick Bruna

Collana a cura di
Quentin Blake e Claudia Zeff

con 116 illustrazioni

Traduzione di Gabriella Tonoli

lupoguido

COPERTINA Immagine tratta da *nijntje vliegt* (Miffy vola), 1970
QUARTA DI COPERTINA Dick Bruna in studio, fotografia di Ferry
André de la Porte © Mercis bv

FRONTESPIZIO Autoritratto, 1991
SOPRA *nijntje in het museum* (Miffy al museo), 1997
PAGINA 112 Serigrafia, 2002

Testi © 2020 Bruce Ingman
Illustrazioni Dick Bruna © Mercis bv, 1953–2020
Zwarte Beertje © Dick Bruna
Traduzione: Gabriella Tonoli
Revisione: Virginia Portioli e Giusy Marzano
Adattamento grafico: Carolina Quaresima

Un ringraziamento a Valentina Freschi per il gentile consulto
sulla lingua olandese.

Pubblicato in accordo con Thames & Hudson Ltd, London e
grazie alla concessione di Mercis Publishing bv, Amsterdam

ISBN 978 88 8581 068 6

Stampato in Cina

SOMMARIO

Introduzione

Nell'estate del 1955 Dick Bruna partì con la moglie Irene
e il figlio di un anno, Sierk, per la prima vacanza insieme.
La famigliola affittò una villetta sul mare nella cittadina
olandese di Egmond aan Zee. Un giorno, come in una scena
di un albo illustrato, i tre scorsero un coniglietto zampettare
tra le dune di sabbia. Non molto tempo dopo, l'animaletto
entrò a far parte delle storie della buonanotte di Sierk.
Al ritorno a casa, Bruna disegnò il coniglio per il figlio.
«Ero un artista, così ho pensato che fosse carino provare a
disegnarlo».[1]
    Ogni storia ha un inizio e così comincia quella di Miffy.
Certo, non quella della vita artistica di Bruna, che all'epoca
della comparsa di Miffy era già un aspirante artista, graphic
designer e autore di un libro apparso nel 1953, *de appel*
(La mela). Anzi, vista la sua appartenenza a una famosa
famiglia di editori olandesi, la vita di Bruna nel mondo dei
libri era cominciata alla nascita. Il suo amore per l'arte e il
suo desiderio di fare l'artista hanno permeato ogni giorno
della sua esistenza.
    Oggi i suoi libri, illustrazioni, copertine e manifesti
sono stati esposti in tutto il mondo; c'è sempre una mostra
di Bruna in corso in qualche città. È considerato uno dei
maggiori artisti del suo Paese, accanto a Johannes Vermeer
e Piet Mondrian. Viene salutato come un eroe della «klare
lijn», e celebrato come uno degli autori olandesi più tradotti,
secondo solo ad Anne Frank. Una replica identica dello
studio di Bruna è in esposizione permanente presso il
Centraal Museum di Utrecht. Nell'edificio di fronte, Miffy
ha il proprio museo e patrocina il premio del più bel museo
per bambini. Alla morte di Bruna, nel 2017, i trentadue libri
dedicati a Miffy erano stati tradotti in ottantacinque paesi,
in più di cinquanta lingue, e avevano generato produzioni
televisive, musical e un business di merchandising
multimilionario in tutto il mondo.
    Ma torniamo all'inizio…

Nascita e infanzia

Bruna nacque il 23 agosto 1927 nella città olandese di
Utrecht da Johanna Clara Charlotte Erdbrink e Albert
Willem (Abs) Bruna e fu battezzato Hendrik Madgalenus
Bruna, come il nonno. Per combinazione, era l'anno del
Coniglio nello zodiaco cinese. Il padre dirigeva la nota casa
editrice A.W Bruna & Zoon, fondata dal bisnonno nel 1868.
All'inizio del secolo avevano un chiosco di libri in quasi
tutte le stazioni ferroviarie olandesi. Primogenito di un
primogenito subentrato al padre al comando dell'attività di
famiglia, era fatto assodato che Bruna avrebbe seguito lo
stesso percorso. Per il padre una carriera nell'editoria era il

A DESTRA
Bruna, all'età di diciotto mesi,
con la madre

A SINISTRA
Bruna, all'età di tredici mesi, nel
giardino dei nonni a Bosch en Duin

suo destino, ma anche il suo dovere. Lo esigeva la tradizione.
Bruna lo capì sin da piccolo, ma ciò non gli impedì di
pensarla altrimenti.

Hendrik era un bimbo tranquillo e paffuto, che veniva
chiamato Dik o Dikkie (grasso o grassoccio), soprannome che
gli rimase per tutta la vita. Nato affetto da talismo, le cure e
le molte attenzioni che richiedeva la malformazione spiegano
il suo particolare attaccamento alla madre. Dovendo stare
spesso seduto e fermo, imparò a passare il tempo a leggere e
fantasticare, un talento che non avrebbe mai perso.

Nel 1931 nacque il fratello di Bruna, Frederik Hendrik
(Frits). Poco dopo, la famiglia si trasferì in una grande casa
a Zeist, cittadina borghese a est di Utrecht. Per i fratelli
Bruna fu un idillio, un sogno bucolico. C'era una stanza dei
giochi e un giardino dove scorrazzavano liberi polli, conigli,
cani e persino una capra. D'estate i due fratelli giocavano
con le loro auto giocattolo o su un carretto trainato dalla
capra, mentre la mamma li seguiva di corsa. D'inverno,
impararono a pattinare su una pista di ghiaccio casalinga
e allestirono persino una rudimentale pista da sci. I nonni
vivevano vicini, nel ricco paesino silvestre di Bosch en Duin,
con un giardino simile al loro, pieno di giochi e animali,
tra cui un coniglio bianco di dimensioni enormi. Tutto ciò
sembrerà familiare ai lettori di Miffy, ed è proprio così. Miffy

vive in un mondo molto simile a quello vissuto da Dick e
Frits.

La vita a Zeist era allietata anche da musica e libri. Si
imparava a suonare il piano, si ascoltava la radio e molta
musica al grammofono. Bruna sviluppò una grande passione
per la *chanson* francese, fino quasi a escludere ogni altro
genere di musica. Inoltre frequentavano regolarmente
la casa autori e grafici. I due ragazzi leggevano molto
e a Bruna piaceva ogni genere di libro, dalla poesia ai

racconti di avventura. Adorava i libri olandesi di eroi e
le storie di Babar di Jean de Brunoff e alle scuole medie,
in gran segreto, lesse persino fumetti, all'epoca visti con
disapprovazione.

Fu un'infanzia di libertà, sicurezza e cultura in una
famiglia liberale protestante.

Anche quando aumentarono le tensioni politiche in
Europa, e molti subirono le conseguenze di una crisi
economica mondiale, i cieli rimasero sereni su Zeist. Bruna
ebbe sempre ricordi splendidi del tempo trascorso lì.[2]

All'età di sei anni, Bruna cominciò una Hernhutterschool
(una scuola elementare morava) scelta non per il credo, ma
per la vicinanza a casa. Lì imparò storie della Bibbia che
gli furono utili quando scrisse *ruben en de ark van noach*
(Ruben e l'arca di Noè) e *kerstmis* (Natale), ma nessun
insegnamento religioso lasciò un segno indelebile in lui.

> *Le fondamenta della sua arte furono posate alla
> scuola elementare. Dick era piccolo, gli piaceva
> disegnare, era bravo in olandese, scriveva
> componimenti o lettere per altri alunni, ma era
> anche un ragazzino tranquillo a cui piaceva
> passare il tempo da solo. Quell'aspetto non sarebbe
> cambiato nel corso della sua vita. Stava ore in
> solitudine nel suo studio ad applicare tecniche che
> sembravano provenire direttamente dalle lezioni di
> arte della scuola elementare.[3]*

All'inizio del 1940 la famiglia si trasferì nella vicina
cittadina di Bilthoven e Bruna frequentò il Nieuwe
Lyceum, dove imparò a suonare la fisarmonica e cominciò
a intrattenere famigliari e amici con interpretazioni di
chansonniers francesi, Charles Trenet in particolare, grazie
agli spartiti che il padre gli portò da Parigi. Cresciuto e
divenuto più timido, Bruna si meravigliava di quanto fosse
spavaldo da piccolo. «Come ho osato fare una cosa simile
all'epoca?»[4] Sugli scaffali della libreria di casa, Bruna scoprì
libri su Rembrandt e Vincent van Gogh e li lesse, come
ricordò poi, «penso cinque o sei volte».[5]

SOPRA
Casa Bruna a Breukelerveen,
Loosdrechtse Plassen (insieme di
laghi vicino ad Amsterdam)

Gli anni della guerra

A maggio dello stesso anno, la Germania nazista sferrò un
attacco ai Paesi Bassi e al Belgio. I decenni della neutralità
olandese erano finiti. Ma il conflitto che dilagava in Europa
investì anche la famiglia Bruna soltanto nel 1943, quando
l'esercito tedesco confiscò la casa di Bilthoven. Padre e figlio,
rispettivamente quarantenne e sedicenne, rischiavano di
essere mandati ai lavori forzati in Germania, così la famiglia
decise di nascondersi nella residenza estiva. La piccola casa
sull'acqua a Loosdrechtse Plassen, un'area di laghi collegati
tra loro a sud di Amsterdam, si rivelò l'ambientazione
ideale per un adolescente sognante, da cui emerse il suo lato
romantico.

La nuova vita del ragazzo non prevedeva alcuna fatica
imposta, anzi, molte ore di solitudine da poter dedicare
alla scrittura, al disegno, alla pittura e alla composizione
di canzoni, a suonare la fisarmonica e, soprattutto, a
sognare. «Siamo stati molto bene. Disegnavo costantemente:
su qualsiasi pezzo di carta trovassi, cercavo di fare un

disegno».[6] Dipingeva persino su pezzi di legno abbandonati, vecchie porte e scaffali.

Rein van Looy, illustratore di libri per l'infanzia, noto per aver illustrato la prima edizione olandese de *Il mago di Oz* e *I viaggi di Gulliver* e grafico di copertine di libri per la A. W. Bruna, andava regolarmente a trovarli e accompagnava Bruna sul lago per sessioni di disegno. Disegnavano il mondo attorno alla loro barchetta a remi e poi, tornati a casa, Bruna creava dipinti a olio partendo dai suoi schizzi. A volte li regalava ai vicini contadini in cambio di zucchero o burro, beni rari in tempi di guerra.

Ma quando c'era la minaccia di raid tedeschi, il giovane sognatore si rifiutava di nascondersi. Spesso doveva essere trascinato via a forza dalla finestra, il suo angolo preferito per fantasticare. L'esercito tedesco non costituiva un pericolo abbastanza grande per il ragazzo, che aveva paura del buio e non sentiva il bisogno di infilarsi in una dispensa piena di ragni.

Tra padre e figlio gli scontri erano costanti. I due si trincerarono sempre di più dietro le loro posizioni divergenti sul futuro di Bruna: Abs Bruna rimaneva irremovibile sul fatto che al figlio primogenito spettasse la responsabilità di prendere le redini dell'attività di famiglia, mentre il giovane

non aveva altri piani che scrivere e dipingere.

Dick trovava difficile distinguere tra genitore protettivo e uomo d'affari ambizioso; non si sentiva minacciato dai tedeschi, ma da un padre soverchiante. A sua volta, Abs Bruna era in ansia per la sicurezza della famiglia e preoccupato per la sua attività. (Negli anni della guerra l'editoria fu colpita duramente dalla censura tedesca e dalla crisi dell'industria della carta). Bruna avrebbe ammesso anni dopo di aver compreso meglio il padre solo dopo esser divenuto genitore anche lui (pur non provando mai a imporre ai figli le proprie ambizioni). Si era reso conto di essersi ribellato a tutto ciò che il padre rappresentava, che era esattamente l'opposto del futuro che voleva per sé. All'epoca riusciva a vedere soltanto una madre, amorevole e artefice di un ambiente famigliare vivace, che si divertiva a cantare e suonare con i figli, e un padre che non faceva altro che assillare e incalzare e, peggio ancora, come scoprì Bruna, che era stato infedele.

Il tormento emotivo fu convogliato in una storia scritta e illustrata da Bruna e intitolata *Japie*, dedicata alla madre. Scritta come una fiaba, racconta di un bambino povero che guadagna da vivere per sé e la madre malata suonando la fisarmonica. I genitori muoiono e il ragazzino viene accolto

A DESTRA
Dipinto di una barca a vela, 1943

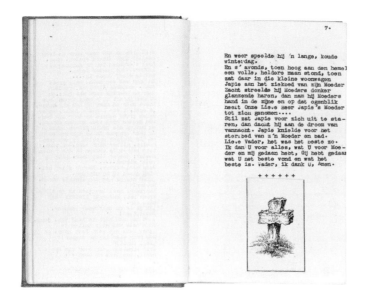
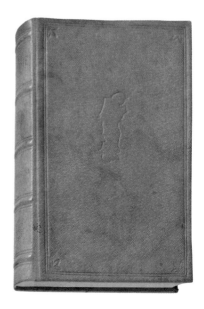

dalla zia e da uno zio cattivo; scappa e viene salvato dalla
moglie di un vecchio contadino e dalla figlia. In questa storia
di guerra, amore e incomprensioni famigliari, che in seguito
Bruna descrisse come «sentimentale e anche molto pia, un
mio cruccio all'epoca», tutto finisce bene.[7] Le illustrazioni a
china ricordano il pittore e illustratore olandese Anton Pieck
e l'illustratrice Jo Spier, con i loro stili tipici delle fiabe. Il
libro rimase inedito, ma la versione originale con rilegatura
in pelle esiste ancora, a testimonianza dei primi esperimenti
di quel giovane meditabondo.

SOPRA

Ultima pagina e volume rilegato in
pelle auto-pubblicato, *Japie*, 1943-5

Londra e Parigi

Nel 1945 i Paesi Bassi furono liberati dalle forze alleate. La
famiglia Bruna si trasferì nella cittadina di Hilversum, che
era stata quartier generale dell'esercito occupante tedesco.
Gli anni passati sul lago avevano dato a Bruna la libertà di
esplorare i suoi interessi creativi e l'opportunità di istruirsi.
Ora era sicuro di voler scrivere e disegnare. All'inizio
acconsentì con riluttanza a frequentare la scuola locale e
faticò a tornare a una routine. «Era una classe piacevole,
due maschi e due femmine, e molto conviviale, ma io non ce
la facevo».[8] Il padre capiva che il figlio «non voleva più avere

a che fare con i banchi di scuola»,[9] ma entrambi rimasero aggrappati alle loro opposte ambizioni. Mentre Bruna creava la sua prima copertina per la casa editrice di famiglia, il padre organizzava la sua istruzione pratica nell'editoria. La copertina in questione era per il libro *Anne-Marie* dell'autore indonesiano Arnold Clerx. È un'illustrazione lieve e d'atmosfera, simile nello spirito a quelle prodotte sul lago: un paesaggio su sfondo azzurro. L'esperienza lavorativa di Bruna cominciò con un anno nella libreria Broese di Utrecht, seguito da due esperienze di un anno presso W.H. Smith a Londra e l'editore Plon a Parigi.

Abs Bruna non rinunciava alla convinzione che l'editoria fosse l'attività di famiglia e l'arte un hobby che il figlio poteva coltivare nel tempo libero; l'uomo d'affari non riusciva a comprendere che, grazie a quell'esperienza, il figlio avrebbe soltanto intensificato le sue passioni.

Bruna assorbiva tutto quanto il mondo dell'arte aveva da offrirgli. «Passavo le mie giornate da una galleria all'altra».[10] Scoprì l'arte moderna. «Vidi Picasso per la prima volta e Léger e tutti quei grandi pittori. Quando incontrai le sue opere – in particolare i collage – Matisse divenne l'uomo più importante della mia vita».[11] Anche Fernand Léger avrebbe avuto un effetto duraturo su Bruna, soprattutto nell'uso di linea e colore. Si rese conto che linea, forma,

A DESTRA
Prima copertina per l'editore A. W. Bruna, 1946

A DESTRA
Illustrazione per la serata dei
giochi presso il Nieuwe Lyceum di
Hilversum, 1946 circa

colore e prospettiva potevano essere manipolati o del tutto ignorati, senza bisogno di rimanere vincolati a convenzioni e tradizione.

In questo periodo, Bruna riprese l'abitudine di leggere le biografie degli artisti e continuò a coltivare il suo amore per la musica francese, con un viaggio memorabile al London Palladium per vedere Maurice Chevalier. Disegnava all'aperto in ogni momento, mantenendo la pratica di rappresentare tutto ciò che aveva intorno e poi, una volta a casa, creare dipinti a olio. Non c'era angolo di Parigi che non avesse visitato per poi riprodurre venditori ambulanti e musicisti, ponti ed edifici. Faceva disegni a china e matita e monocromie e dipinti a olio. Erano tempi entusiasmanti nei caffè esistenzialisti della Parigi postbellica. La città abbracciava tutto quanto arrivava dall'America, dai jazz club alle camicie a quadretti e Bruna deve aver vissuto appieno l'atmosfera elettrizzante di una capitale che si sente libera.

Sempre più immerso nel mondo dell'arte moderna, Bruna capiva che l'interazione tra i colori poteva restituire qualcosa di nuovo: riempire uno spazio o crearne uno. Ne comprendeva la potenza e per tutta la sua vita lavorativa sfruttò quella capacità nel creare un'atmosfera. Il periodo trascorso a Parigi fu una tale liberazione e ispirazione che ci sarebbe tornato almeno qualche giorno ogni anno per ritrovare le energie, ravvivare l'ispirazione e vedere un concerto di uno dei suoi cantanti francesi preferiti.

A DESTRA
Disegno acquarello e china di un
ponte sulla Senna, Parigi, 1949

SOTTO
Disegno, Parigi, 1949

Dipinti, primi anni Cinquanta

Il ritorno

Abs Bruna pensava che il figlio sarebbe tornato a casa
pronto ad assumere un ruolo nella società di famiglia,
ma si sbagliava: il ragazzo era più determinato che mai
a diventare artista. La formazione nell'editoria l'aveva
annoiato, mentre era elettrizzato dalle sue scoperte
culturali. La sua passione per l'arte era tale che convinse
il padre a farlo proseguire nella formazione artistica.
Sorprendentemente, e con pochi drammi, i due concordarono
l'iscrizione alla Rijksakademie, l'accademia di arti visive di
Amsterdam.

Bruna si trasferì nella capitale e accettò un posto sotto la
tutela di Jos Rovers, appartenente al movimento del "pittore
del popolo" George Hendrik Breitner, uno dei maggiori
impressionisti di Amsterdam, noto per le sue scene di vita
cittadina. In passato Bruna avrebbe molto apprezzato
ma, ancora una volta, l'istruzione formale si rivelò troppo
restrittiva. La direzione del corso era troppo legata
all'Impressionismo, un passo indietro per chi aveva vissuto
le gallerie di Londra e Parigi e la gioia di disegnare ovunque,
in ogni momento, qualsiasi cosa. Non voleva dedicarsi a
noiosi busti grigi in gesso, voleva studiare meglio i pittori
moderni e trasgressivi che aveva scoperto, ed era impaziente
di tornare a disegnare all'aperto e sperimentare colore e
forma. Dopo sei mesi, abbandonò il corso.

I suoi sogni artistici rimanevano intatti, ma aveva
bisogno di guadagnare denaro, perciò cominciò a creare
copertine di libri per A. W. Bruna, lavorando da casa. I suoi
primi progetti, dal 1950 al 1952, rivelano le sue influenze,
ma uno stile non coerente. Flirtava con gli interessi della
gioventù, come Walt Disney e Jo Spier, e sperimentava
grazie ai suoi incontri più recenti con i modernisti, ma in
sostanza era ancora alla ricerca di un proprio linguaggio.
Firmò queste copertine come HB, Henk Bruna, forse a voler
prendere le distanze da questi progetti e conservare il suo
nome per l'artista che sperava di diventare?

PAGINA ACCANTO
Menù segnaposto di Bruna, in cui
traspare l'influenza di Walt Disney,
per una cena della casa editrice,
Hotel Noord-Brabant, Utrecht, 1°
marzo 1948

Influenze

Oltre all'opera di Henri Matisse e Léger, Bruna amava
il movimento De Stijl, un gruppo di artisti e architetti
olandesi sostenitori della semplificazione compositiva fino
all'essenzialità di forma e colore: forme verticali e orizzontali
in nero, bianco, grigio e colori primari. Inizialmente fu
influenzato dalle prime opere di Bart van der Leck per il
suo approccio più figurativo. «Partiva dalla realtà e provava
a ridurla all'essenziale».[12] Più avanti avrebbe guardato
a Mondrian, emulando il modo in cui riduceva la realtà
a due dimensioni. Ma fu l'opera di Gerrit Rietveld e la
sua devozione ai quadrati che si dimostrò l'ispirazione
più significativa. Casa Schröder, progettata da Rietveld e
costruita a Utrecht nel 1924 – in origine commissionata
perché fosse senza muri – costituiva uno degli esempi più
noti di De Stijl. La casa divenne sempre più importante per
Bruna.

24

Grafica per una copertina ispirata
a H. N. Werkman, 1961

PAGINA 26
Programma di Muziek van onze
tijd (Musica dei nostri tempi) per la
stagione di concerti presso il Tivoli
Lepelenburg a Utrecht, 1958

PAGINA 27
Manifesto per la mostra *Beitel
en palet* (Scalpello e tavolozza),
150 anni della Genootschap
Kunstliefde, presso il Centraal
Museum di Utrecht, 1957

Anche l'artista e designer Willem Sandberg gli fu di
grande ispirazione e, in quanto direttore del Stedelijk
Museum dal 1945 al 1963, gli consentì di conoscere opere
d'arte moderna che altrimenti non avrebbe mai visto. Un
altro punto di riferimento furono gli stencil di Hendrick
Nicolaas (H. N.) Werkman, come evidenziano le sue
copertine più recenti. «Le stampe chassidiche di Werkman
sono state davvero importanti per me; erano del tutto
dirette e astratte».[13] Il Sandberg grafico avrebbe poi avuto
un impatto più ovvio nella scelta dei caratteri per copertine
e libri. Nel corso degli anni, Bruna avrebbe distillato tutte
queste ispirazioni fino a quando i suoi lavori per copertine,
manifesti e libri non cominciarono a influenzarsi tra loro, in
una forma di impollinazione incrociata.

150 JAAR GENOOTSCHAP KUNSTLIEFDE
beitel
en palet
dick
TENTOONSTELLING CENTRAAL MUSEUM UTRECHT
19 OKTOBER - 15 DECEMBER 1957

Un nuovo inizio e...

Nei primi anni Cinquanta accaddero due eventi che avrebbero cambiato la vita di Bruna per sempre. Andò a visitare la Chapelle du Rosaire da poco inaugurata e decorata da Matisse, e conobbe la ragazza della porta accanto, Irene de Jongh. Partì per due viaggi nel sud della Francia insieme a Chris Leeflang, direttore delle librerie Broese dove Bruna aveva lavorato e con cui aveva stretto amicizia. I due viaggiarono lungo la costa alla scoperta di opere d'arte e architettura moderna, come il nuovo complesso di Le Corbusier a Marsiglia, i mondi provenzali di Raoul Dufy, Paul Cézanne, Pablo Picasso (a Vallarius dal 1948) e Marc Chagall, che da Parigi nel 1949 si era trasferito a Vence, pochi chilometri a ovest di Nizza, vicino alla casa di Matisse.

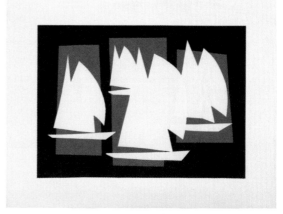

SOPRA
Dipinto d'ispirazione matissiana

SOPRA
Collage d'ispirazione matissiana

28

Murale per la cantina della società di artisti De Engelenzang, Utrecht, 1957

Nel 1948 Matisse aveva accettato di decorare la piccola cappella di Vence per una comunità di domenicani, completando i lavori dopo tre anni. Aveva creato le vetrate istoriate, il campanile, i dipinti murali interni, i tetti blu e bianchi, il crocifisso e i candelieri, la porta del confessionale, tre acquasantiere e casule per il sacerdote. Scoprire l'opera di Matisse a Parigi era una cosa, ma la cappella fu per Bruna una vera rivelazione. Matisse stesso riteneva la cappella «il suo capolavoro»; l'aveva creata usando la tecnica del ritaglio, «una delle invenzioni più radicali di qualsiasi artista del Ventesimo secolo».[14]

Quando Bruna visitò la cappella, la presenza di Matisse era ancora palpabile: l'artista aveva da poco lasciato l'edificio. Da quel primo momento, divenne obiettivo ultimo di Bruna emulare la purezza e la bellezza di quell'opera in tutto ciò che avrebbe prodotto. Matisse aveva affinato la sua arte fino all'essenza e lui avrebbe tentato di fare lo stesso. Ugualmente significativi per Bruna furono i colori scelti da Matisse per le vetrate istoriate. «Sto cercando qualcosa che sia rischioso» aveva detto l'artista. «Vorrei quasi che strida». Voleva che i colori della cappella apparissero al visitatore «come il suono sordo di un gong».[15]

E fu proprio l'effetto che ebbero su Bruna.

Dipinto, febbraio 1954

... un lieto fine

Nel 1951 la famiglia Bruna era tornata a Utrecht. Nella
casa di fronte alla loro, viveva Irene de Jongh, sei anni più
giovane di Bruna. Subito ammaliato, per aver occasioni di
incontrare Irene a spasso con il cane, comprò un boxer, cui
diede il nome di Bruun, e per fare colpo sistemò anche il
cavalletto sul balconcino dei genitori. Sembrò funzionare;
un anno dopo il loro primo incontro, Bruna trovò il coraggio
di chiedere a Irene di sposarlo. La ragazza rispose di no.
Con il cuore infranto, Bruna fuggì nel sud della Francia,
per tornare a concentrarsi sull'arte. Andò a vivere con gli
scrittori Havank (Hendrikus Frederikus van der Kallen)
e Ab Visser, in vacanza insieme a Haut-de-Cagnes con
il progetto di trasferirsi nella vicina cittadina di Bandol.
Bruna però era troppo sconvolto e innamorato per fermarsi.

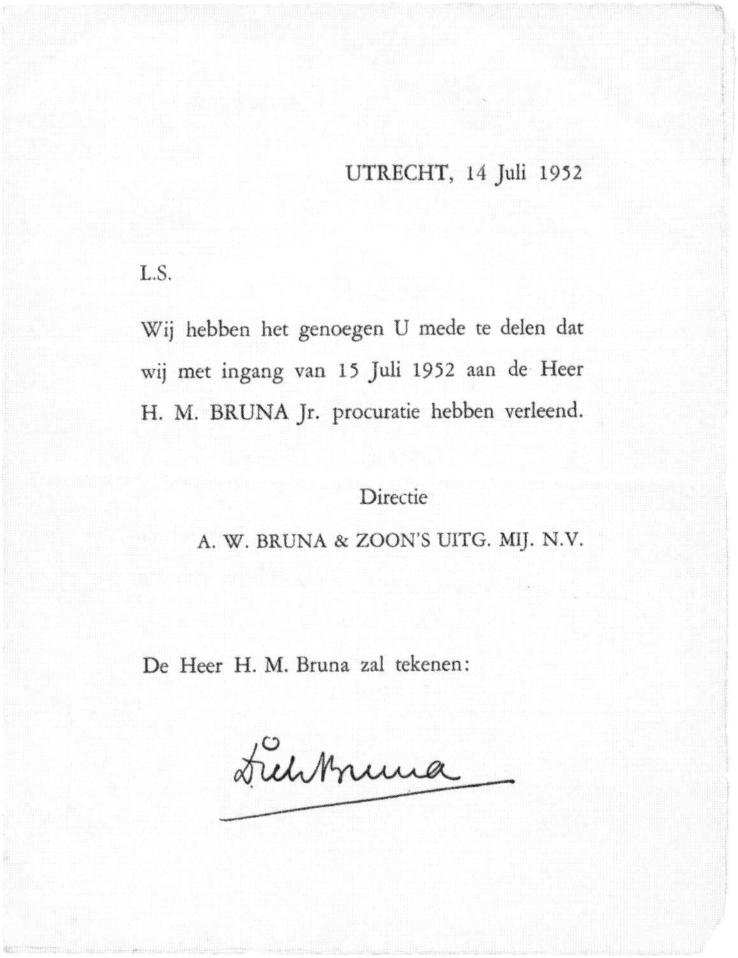

UTRECHT, 14 Juli 1952

L.S.

Wij hebben het genoegen U mede te delen dat wij met ingang van 15 Juli 1952 aan de Heer H. M. BRUNA Jr. procuratie hebben verleend.

Directie

A. W. BRUNA & ZOON'S UITG. MIJ. N.V.

De Heer H. M. Bruna zal tekenen:

Dick Bruna

PAGINA ACCANTO

Irene e Dick a Parigi, autunno 1953

SOPRA

La lettera ufficiale della W.A. Bruna & Zoon che annuncia l'assunzione di Bruna in casa editrice, luglio 1952

Come poteva vivere senza Irene? Come dipingere? Dopo qualche giorno, tornò a Utrecht e fece di nuovo la sua proposta. Questa volta Irene accettò e nel 1953 i due si sposarono.

Il matrimonio arrivò con una condizione: il padre di Irene insistette affinché Bruna desse alla figlia la sicurezza di un lavoro fisso. L'uomo riuscì quindi nell'impresa che sin lì al padre di Bruna era fallita: costringerlo a lavorare per la società di famiglia. «Così divenni un grafico per A.W. Bruna, la casa editrice di mio padre. Naturalmente capitò a fagiolo».[16]

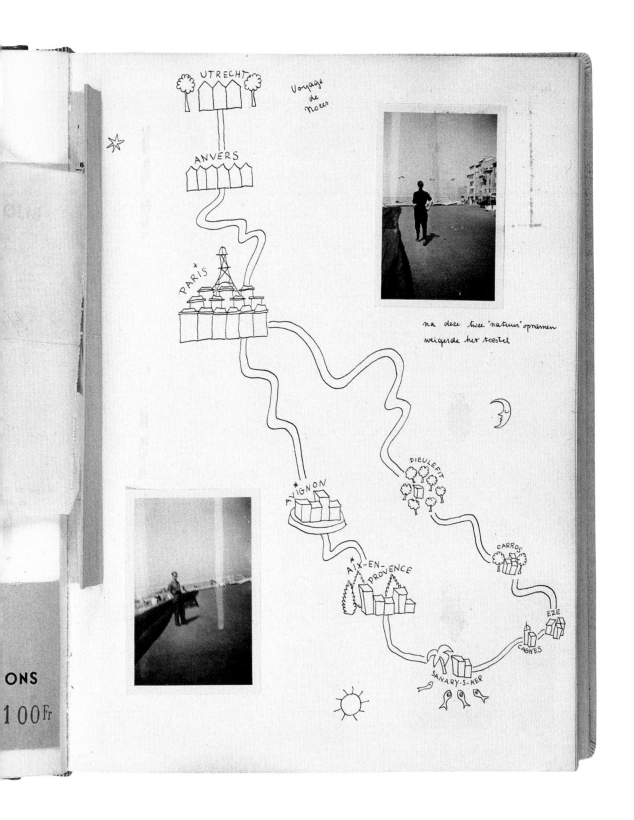

Artista emergente

Nel 1952, quando Bruna acconsentì a lavorare per A.W.
Bruna, pensò che il suo sogno di diventare artista fosse
davvero naufragato. In realtà, oltre a dare stabilità a
Irene e a se stesso, lavorare come grafico gli permise di
sperimentare la sua creatività. Sarebbe stato il decennio più
produttivo della sua vita. In Irene poi aveva guadagnato una
sostenitrice entusiasta e, più importante ancora, la sua vera
«principale critica».[17] Da quel momento in poi, nulla passava
senza la sua approvazione.

«Aveva un gran coraggio, perché faceva molte cose
diverse. A volte correva dei rischi… senza le copertine non
sarebbe mai stato in grado di elaborare un suo stile grafico»,
commentò la moglie.[18] E con il tempo, lo stesso Bruna
sarebbe giunto a riconoscere i suoi anni da grafico «la mia
scuola d'arte».

Dal 1953 il suo approccio stava cambiando. Cominciò
a disegnare non ciò che vedeva, ma la relazione degli
oggetti tra loro (spesso isolati dalla propria ambientazione)

nel creare un'atmosfera. Questo traspare già da ciò che
disegnò durante la luna di miele e nelle successive vacanze
trascorse con Irene nel sud della Francia, in Spagna e in
Italia. Disegnava per piacere, disegnava per sperimentare,
disegnava per avere possibili futuri riferimenti;
semplicemente, disegnava. Le opere si fecero meno
autocoscienti e studiate, più rilassate e divertenti. Cominciò
a scattare fotografie per avere riferimenti, a catturare
oggetti interessanti che creassero un'atmosfera da replicare.
Ritagliava immagini di oggetti dai giornali; era sempre alla
ricerca, sempre artista.

SOPRA
Disegno inedito di Sinterklaas (San
Nicola), 1954

L'influenza dei suoi beniamini è ancora chiara, ma
comincia a trasparire e splendere la personalità di Bruna.
Dell'opera di Léger, tanto importante in questa sua
evoluzione, Bruna spiegò:

> *Per la prima volta, vidi la prospettiva sparire in
> favore della costruzione e i colori diventare piatti,
> senza più transizione. Ricordo che all'epoca quando
> vedevo forme chiare... con quelle costruzioni in ferro,
> cominciavo a disegnare dadi e bulloni e prese e cose
> del genere, oggetti con profili molto chiari.* [19]

SOPRA E A DESTRA
Progetto e dipinto murale per la
cantina della società di artisti De
Engelenzang, Utrecht 1957, con
influenze di Léger

 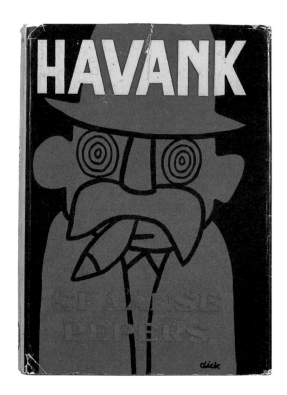

Editoria

Lo stile di Bruna cambiava e lo stesso accadeva all'industria dell'editoria. Gli anni del dopoguerra segnarono una rivoluzione nel mercato dei libri tascabili in tutto il mondo. Bruna conosceva bene l'avvento del tascabile di marca, inventato nel 1934 quando il fondatore di Penguin Books, Allen Lane, rimase bloccato in una stazione dei treni senza nulla da leggere e poca scelta. Il periodo trascorso a lavorare a Londra era coinciso con la riprogettazione del logo Penguin di Jan Tschichold.

Nei Paesi Bassi, con il miglioramento della disponibilità e dei prezzi della carta, gli editori cercavano un modo per uscire dalla crisi della guerra. Negli anni Cinquanta si cedette il passo all'ottimismo e aumentarono gli investimenti; si puntò maggiormente su qualità, carta migliore e stampa a colori. Editori rivali avevano già lanciato collane di fiction nei primi anni del decennio: i Samalanders di Querido e i Prisma di Het Spectrum di Utrecht.

SOPRA

Due delle prime copertine: *Ridder Templar* (Il cavaliere templare) di Charteris, 1952, e *Spaanse Pepers* (Peperoncini spagnoli) di Havank, progetto per una copertina della collana Il Libro del Mese, 1954

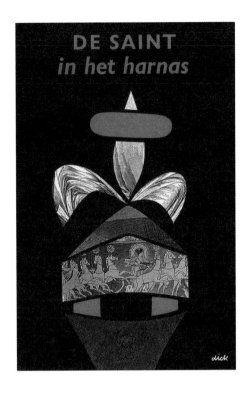

Alla A. W. Bruna, si progettò nell'autunno del 1954 una
collana di crime fiction. I gialli stavano conquistando il
mercato, quindi era un percorso ovvio.

Bruna aveva visto quanto la crime fiction americana
fosse di moda a Parigi, presente in modo massiccio sulle
bancarelle lungo la Senna. Abs Bruna aveva già pubblicato
diversi gialli tra cui i Maigret di George Simenon, il
Santo di Leslie Charteris e, beniamino degli olandesi, De
Schaduw (L'ombra) di Havank nella collana Il Libro del
Mese, lanciata nell'immediato periodo dopo la guerra.
Avevano un catalogo abbondante a cui attingere, da
promuovere e arricchire.

A.W. Bruna aveva due ulteriori vantaggi: il triumvirato
composto dal direttore commerciale Abs Bruna, il direttore
editoriale Jaap Romijn e il grafico Bruna, e la facilità di
distribuire e vendere i loro libri ai chioschi delle stazioni.
Abs Bruna non leggeva libri, a quanto ne sapevano i figli
– «perché i libri non sono da leggere, sono da vendere. Ma

GEORGES SIMENON

MAIGRET
en de minister

SIMENON

MAIGRET EN DE MINISTER

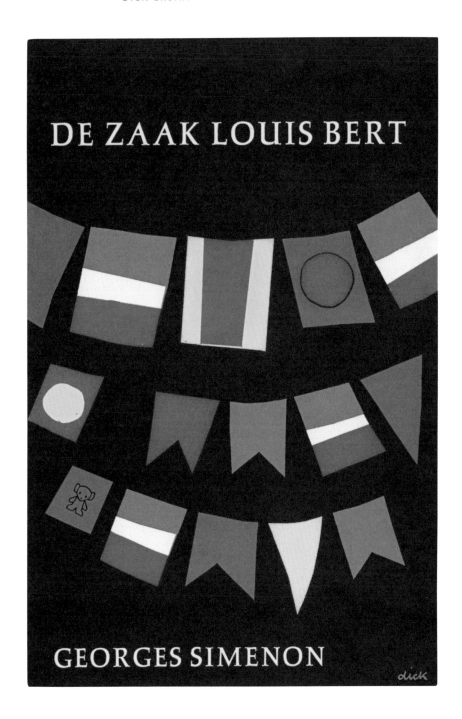

Progetto grafico per la copertina di
Maigret en de minister (*Maigret e il
ministro*) di Georges Simenon, 1956

Copertina per *De zaak Louis
Bert* (*Corte d'assise*) di Georges
Simenon, 1965

Copertina per *Zijne Hoogheid de Saint* (Sua maestà il Santo) di Leslie Charteris, 1970

Copertina per *De Saint stichting* (La fondazione del Santo) di Leslie Charteris, 1970

DE
SAINT
STICHTING

baldwin

giovanni's kamer

FAULKNER

DE ROVERS

aveva buone intuizioni e *fingerspitzengefühl*, fiuto su cosa valeva la pena investire e, soprattutto, su cosa no» spiegò Bruna.[20]

Jaap Romijn colmava il divario tra padre e figlio. Artista, editor ed editore, aveva una visione sia finanziaria sia estetica dell'attività ed era un forte sostenitore del giovane Bruna. Le sue affiliazioni letterarie condussero a metà degli anni Sessanta alla creazione della collana più intellettuale, gli Witte Beertjes (Orsi Bianchi). Fu Romijn a insistere per avere scrittori come Jean-Paul Sartre.[21]

Se Bruna non conosceva il lato finanziario dell'attività, rispetto all'aspetto grafico dei libri aveva anche lui il suo *fingerspitzengefühl.* Sapeva che la collana doveva attirare persone che andavano di fretta, nel senso letterale del termine. Dovevano catturare l'attenzione del viaggiatore, e rendere il marchio riconoscibile. Così elaborò un progetto grafico con un nuovo stile, che oltre al contenuto doveva avere impatto, attirare e trasmettere un'identità di collana. Bruna riconosceva il potere di un contatto visivo immediato. Voleva che suonasse il "gong" a cui aveva fatto riferimento Matisse.

Perché la collana prendesse piede, si doveva stampare e vendere un numero massiccio di copie in modo da tenere contenuti i prezzi e costante l'interesse. Tutti aspetti che mettevano una considerevole pressione al grafico. Senza perdersi d'animo, Bruna si mise al lavoro.

L'orso nero

Prima arrivò l'orso; un marchio ha bisogno di un logo. Era piuttosto semplice, dal momento che l'orso era stato a lungo associato al nome Bruna, *bruno*, e veniva già usato come

SOTTO, A SINISTRA
Logo originale per la collana Zwarte Beertjes (Orsi neri), 1955-61

SOTTO, A DESTRA
Logo rivisto della collana Zwarte Beertjes, dal 1962

marchio. Bruna rese l'orso nero, per creare un elemento di intrigo e tenebra e trasmettere il contenuto noir delle opere. Ma, essendo d'indole timorosa, preferì non dare alla collana una veste troppo paurosa, facendo leva sul mistero. La scelta diede ai libri un'attrattiva più ampia e permise all'editore di aggiungere titoli non propriamente gialli, una volta divenuta solida la collana. Nel primo logo, l'orso nero era incorniciato, ma abbastanza rapidamente si liberò della sua gabbia, rendendo più semplice manipolarlo graficamente. Di tanto

Copertina per *O.S.S 117 te wapen* (O.S.S 117 alle armi) di Jean Bruce, con il logo inserito nella grafica, 1966

Copertine di due libri di Jean Bruce: *Schoten vallen in Bangkok* (*Colpo doppio a Bangkok*), 1964 e *O.S.S 117: De Spionne neemt de benen* (O.S.S 117: la spia decolla), 1971

in tanto, in modo giocoso, Bruna inserì l'orso direttamente nell'illustrazione.

La collana degli Zwarte Beertjes, gli Orsi Neri, fu inaugurata nel 1955 con sei titoli, divenuti poi diciotto nel 1956, e con più di cento uscite all'anno in seguito, sempre con copertine di Bruna. All'inizio, per ragioni economiche, dovette lavorare solo con il nero ma, quando la collana si espanse, sopraggiunse anche il colore. Non traspare mai stanchezza per la mole di lavoro. Le copertine rivelano un illustratore e un artista grafico di straordinaria disciplina, metodo e intuizione. Mise tutto se stesso, le sue influenze, doti, etica del lavoro e personalità; era un'industria grafica individuale.

Bruna rivelò come lavorava in un articolo apparso sulla stampa belga nel 1962: prima di tutto leggeva il libro, che di solito gli veniva dato ancora in manoscritto. Non seguiva istruzioni editoriali. Voleva scoprire da solo l'atmosfera della storia. Mentre leggeva, cominciava a vedere le narrazioni in termini di colori. O capitava che si immaginasse in una particolare ambientazione, per esempio una storia di Simenon lo aveva riportato sotto la pioggia di Parigi. Queste associazioni gli suggerivano colori e forme nella mente. Nella fase successiva sperimentava ritagli di diverse dimensioni con cataloghi di pittura. «Giocavo con questi colori – taglia, incolla e strappa. Do molta importanza alla spontaneità, perciò faccio tutto subito nei colori scelti».[22]

Se non gli piaceva, ricominciava daccapo, quante volte riteneva necessario. «Sistemo le forme fatte su uno sfondo sotto il vetro, delle stesse dimensioni della copertina, in modo da non dover più ridurre o ingrandire». A quel punto accantonava quel progetto, passando a un altro per poi ritornarvi e prendere la sua decisione finale, eliminando elementi fino a farlo diventare il più semplice possibile. Quando era soddisfatto e riteneva la copertina pronta, la portava dal tipografo di persona, per vedere com'era la resa in stampa.

Le copertine degli Zwarte Beertjes non avevano una griglia e nessuna regolarità nella posizione del titolo o del nome dell'autore; oggetti fluttuanti su un piano si univano a formare un'immagine, eppure apparivano parte della stessa collana grazie allo stile inimitabile di Bruna. «Mi resi conto che a quel ritmo potevo e dovevo usare ogni tecnica disponibile – disegno, collage, tutto».[23] Come nei suoi libri per l'infanzia, Bruna non ebbe invece mai desiderio di sperimentare con i caratteri. Non si sentiva qualificato nel campo e non voleva che il lettering interferisse con il progetto grafico.

Una delle caratteristiche più chiare delle sue copertine fu l'uso di temi e sagome che collegavano i libri all'interno della collana. Per esempio, nelle storie di Maigret di Simenon, c'è sempre una pipa, per il Santo di Charteris un'aureola. Con grande piacere di Bruna, nel corso di una visita Rietveld indicò la copertina di *The Pirate Saint* (*Il santo in mare*) e disse «ragazzo, è una forma davvero bellissima».[24]

PAGINA ACCANTO
Copertina per *Maigret en de onbekende wreker* (*Pietr il lettone*) di Georges Simenon, 1964

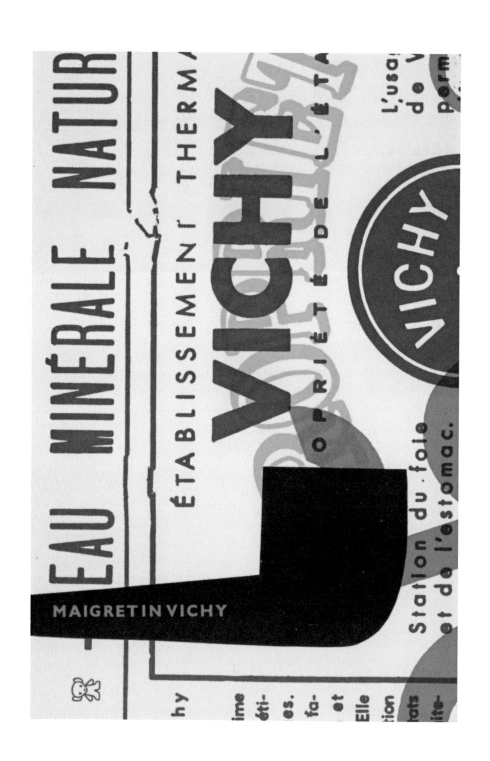

Bruna evitava sempre di sfruttare gli elementi più
raccapriccianti dei libri. Per lui era importante creare
atmosfera e non sensazionalismo. Tutte le sue copertine
seguono una regola costante: non devono essere d'ostacolo
all'immaginazione del lettore.

Si firmava informalmente "Dick", semplice come l'*etos*
della grafica. Era di nuovo per distanziarsi dall'editore?
O il nome della casa editrice e il simbolo dell'orso erano
abbastanza "Bruna" per un libro solo?

La collana si rivelò oro puro. Furono anni di boom
economico per la A.W. Bruna; l'approccio collegiale dei tre
uomini e la loro capacità di commercializzare titoli letterari
portò agli Zwarte Beertjes grandissimo successo. In Bruna
avevano un grafico con la capacità di rendere i loro libri
simultaneamente un acquisto d'impulso e un oggetto da
collezionare.

Bruna applicò tutte le conoscenze che aveva assorbito nei
suoi viaggi per trovare un suo stile artistico. Nel 1969 erano
state vendute venticinque milioni di copie di Zwarte Beertjes
e pubblicati quasi 1500 titoli. Nel corso della vita della
collana, Bruna avrebbe illustrato e progettato le copertine
di circa 2000 libri. Nel 1968, la casa editrice festeggiò il
centenario e Abs Bruna, intervistato sul successo della
collana, tradendo chiaramente l'emozione, dichiarò: «tutte

le copertine sono dello stesso grafico molto intelligente, mio figlio».[25]

Non fu l'unico elogio. Bruna era cresciuto nel mondo dell'editoria, conosceva o era amico di molti scrittori, grafici e tipografi, e le sue copertine spesso ricevevano lettere di apprezzamento dagli autori dei libri; Simenon commentava sempre le sue copertine, come in una delle lettere a Bruna rimasta più cara: «la copertina che hai realizzato per il mio nuovo libro è persino più essenziale della precedente. Cerchi di raggiungere nel disegno quello che io cerco di ottenere con la scrittura».[26]

Manifesti

«Simenon una volta raccontò a Bruna che Picasso, nel vedere una delle sue copertine, aveva commentato che era così d'effetto perché l'approccio utilizzato era quello del manifesto. Bruna lo considerava uno dei maggiori complimenti che avesse mai ricevuto».[27] Bruna amava i manifesti, li ammirava come forma d'arte e il suo occhio per il colore e il suo desiderio di un impatto semplice lo avvicinavano alla grafica dei manifesti.

Willem Sandberg disse: «Ogni manifesto deve essere un'opera d'arte» e Bruna concordava. Per lui copertine e manifesti erano legati, ma dedicava più tempo alla progettazione di questi ultimi perché credeva che dovessero colpire nel segno. Le parole del grafico francese e insegnante A. M. Cassandre furono cruciali per l'approccio adottato da Bruna: «Deve colpire al primo sguardo. Deve avere l'effetto istantaneo di un pugno». Bruna vi aggiunse il suo sentire: «Deve anche essere umano, e, se possibile, amico».[28] Il suo era un "pugno" soft.

Ecco quindi: il gong di Matisse, il pugno di Cassandre; l'umanità di Bruna.

A DESTRA
Il primo manifesto per la collana
Zwarte Beertjes, 1956

Anche lo humour ispirato a Charlie Chaplin e la semplicità dei manifesti di Raymond Savignac ebbero un'influenza su Bruna. Savignac era un autodidatta, formatosi con Cassandre, che Bruna probabilmente vide in mostra a Parigi. Definiva l'arte dei manifesti «la creazione di un'immagine fugace che la gente non dimenticherà».[29] Bruna progettò e illustrò un manifesto già nel 1947, ma quello creato per promuovere gli Zwarte Beertjes nel 1956 è il primo che raggiunge appieno il suo obiettivo nella grafica cartellonistica. L'immagine dell'orso cattura all'istante l'attenzione e solo dopo si colgono tutti gli altri elementi del messaggio: prima l'impatto e poi il dettaglio. L'intenzione di Bruna, come sempre, è la semplicità della forma, la capacità di trasmettere tanto con poco.

SOPRA
Manifesto per i venti anni della collana Zwarte Beertjes, 1975

PAGINA ACCANTO
Manifesto per promuovere Zwarte Beertjes pocketbooks voor iedereen (Zwarte Beertjes, tascabili per tutti), 1960

PAGINE 64-65
Manifesti per Het Groene Kruis (Croce verde), 1975

Tracciava gli elementi principali del manifesto a matita, poi riempiva con tempere e disegnava i contorni neri con il pennello. Un manifesto dell'orso nero, con gli occhi rossi per aver letto troppo, vinse due premi nel 1960. Due anni dopo, si tenne una mostra delle sue opere al Clichéfabriek di Utrecht. Con il procedere degli anni, i suoi manifesti divennero sempre più grafici e diretti e il piccolo orso nero, quasi sempre con gli occhi sgranati per attirare attenzione, riusciva comunque a guardare chi lo osservava, anche di profilo. L'ultimo manifesto di Bruna per la collana ricevette nel 1971 un premio dell'associazione olandese dei pubblicitari.

deze unieke dick bruna poster wordt u aangeboden door **Pampers**

International year
of the child
Fiera del libro
per ragazzi

Libri a figure

Da poco sposato e ancora ventenne, Bruna riuscì a trovare il tempo anche per creare libri suoi. *de appel* (La mela) fu pubblicato in Olanda nel 1953. Non era concepito come un libro per l'infanzia, ma più un omaggio a Matisse. «All'epoca ero tutto teso verso Matisse».[30] Aveva ancora scolpita nella mente la cappella di Vence. «Quando ho visto quei ritagli ho pensato: 'Ecco, dovresti provare a fare un libro in questo modo'. E così è nato *de appel*».[31] Tagliò le forme e aggiunse con il pennello il colore nero; solo l'uso del colore blu sopra e del rosso sotto suggeriscono il primo piano e lo sfondo.

A DESTRA

toto in volendam

(Toto a Volendam), 1953

La cosa forse più interessante dell'opera non era tanto la creazione di un legame con il lettore quanto l'aspetto della tecnica: era un esperimento di forma e colore.

Dopo *de appel* seguì *toto in volendam*, la storia di un pupazzo che va a fare una passeggiata.

I due libri sono simili perché ruotano attorno a viaggi di scoperta proprio come quelli intrapresi dal loro creatore. In queste prime opere Bruna stabilì quale metodo adottare rispetto alle storie che aveva in testa. Scoprì, ad esempio, di preferire lavorare su due, tre o persino quattro libri alla volta, per poter passare da uno all'altro, come faceva con le copertine. Nel processo aveva padronanza di tutti gli aspetti creativi e pratici dei suoi libri.

E poi arrivò Miffy...

giù dalle dune e la spiaggia di sabbia
e poi a vedere il mare[32]

Nel 1955, Bruna, Irene e il piccolo Sierk partirono per
una vacanza nella cittadina sul mare di Egmond aan Zee,
un posto che a Bruna ricordava le vacanze estive sulla costa
belga di Blankenberge. Un giorno, seduti sull'erba piena di
sabbia, i tre osservarono un coniglietto saltellare tra le dune.
Altri non sarebbero rimasti così colpiti, ma Sierk aveva
un coniglietto lanuginoso e Bruna amava i conigli e quella
bestiola gli ricordò anche una tana che aveva costruito nel
giardino di Zeist, molte estati prima. Il nome originale
olandese di Miffy, *nijntje*, è un'abbreviazione di *konijntje*, che
significa "coniglietto". Quella prima sera, il 21 giugno 1955,
quando a Sierk fu raccontata una storia della buonanotte
che aveva per protagonista il *konijntje*, segna la data

zij mocht met moeder en met vader

naar de dierentuin toe gaan

eerst gingen zij naar het station toe
kijk, daarachter stond de trein

zij stapten in de laatste wagen
en voor het raampje daar zat Nijn

ufficiale di nascita di Miffy.

I primi disegni del coniglio erano un lontano parente della Miffy che il mondo avrebbe amato. Prima di tutto, il coniglietto sembrava più un pupazzo di peluche piatto, con un tocco di Léger e di Matisse. Bruna spiegò che «voleva creare qualcosa che trasmettesse l'idea di un coniglio... il disegno è come un ricordo».[33] Le orecchie erano oblique e gli occhi guardavano altrove, ancora non comunicavano con il lettore. Le espressioni rendevano i personaggi timidi e modesti, forse a riflesso dell'umiltà del loro creatore.

All'inizio Miffy era una coniglietta, anche se Bruna non sapeva spiegare il perché, poi a un certo punto divenne meno chiaro se fosse maschio o femmina, fino a quando, nel 1970, Bruna aggiunse fiori al suo vestitino nel libro *het feest van nijntje* (Il compleanno di Miffy). Molti dei fan della prima generazione, pre-anni Settanta, continuano a pensare a Miffy al maschile, mentre le generazioni successive la immaginano al femminile; così la sua attrattiva universale non dipende dal genere. Importante sottolineare il fatto che mettere i fiori sul vestito fu una decisione artistica, non editoriale.

I libri originali, *nijntje* e *nijntje in de dierentuin* (Miffy allo zoo), pubblicati nel 1955, furono creati con matita e pennello. Bruna li disegnò, li colorò con le tempere e li rifinì con il nero per le linee dei profili. Sono diversi dai metodi che stava elaborando per le copertine dei libri, ma simili alle tecniche adottate per i manifesti; suggeriscono un nuovo

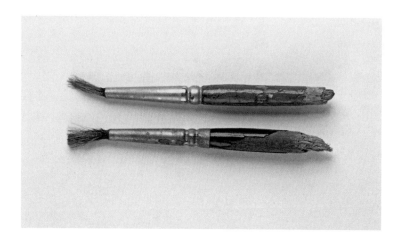

A SINISTRA
I pennelli con cui Bruna ha dipinto i primi quattro libri dedicati a Miffy

het feest van nijntje (Il compleanno di Miffy), 1970, formato quadrato. Per la prima volta Bruna aggiunge fiori al vestitino di Miffy

PAGINE 74-75

het feest van nijntje (Il compleanno di Miffy), 1970

en o, wat hadden ze een pret

zij balden op het gras

en deden heel veel spelletjes

totdat het avond was

en ja hoor, op een mooie dag

kwam er een klein konijntje

zij trokken haar een jurkje aan

en noemden haar toen nijntje

padre, nostalgico della sua infanzia. Per usare le parole di Bruna, «ogni libro appartiene al suo tempo».[34] «Ero alla frenetica ricerca di ciò che volevo e potevo fare. Studiavo e provavo ogni tecnica e possibilità. Volevo trovare il mio stile individuale».[35] Di sicuro questi libri appartengono a un tempo in cui l'artista si stava avventurando in molte direzioni, come marito, padre, grafico e anche autore e illustratore di libri per l'infanzia.

A.W. Bruna non era un editore di libri per bambini; non avevano esperienza di stampa e vendita in quel campo. Nell'immediato dopoguerra l'editoria per l'infanzia veniva sottovalutata, quanto i benefici di leggere ai bambini. Gli editori, in generale, concentravano i loro sforzi sulla ripresa dalle restrizioni della guerra, perciò investire in generi non sperimentati era rischioso. Tuttavia, Bruna aveva l'appoggio di Jaap Romijn, amico e alleato in casa

SOPRA
nijntje (Miffy), ripubblicato in formato quadrato con quattro righe di testo nella pagina accanto a ogni immagine, 1963

SOTTO

nijntje in de dierentuin (Miffy allo zoo), ripubblicato in formato quadrato, 1963

editrice. Comprendeva le ambizioni di Bruna e sostenne la pubblicazione di sette libri tra il 1953 e il 1957. All'inizio furono fraintesi quasi tutti gli elementi che avrebbero in seguito decretato il successo di quei titoli: la loro semplicità, l'uso di colori primari e la mancanza di prospettiva erano in netto contrasto con i libri per l'infanzia più animati e narrativi che apparivano sugli scaffali in quegli anni.

I primi erano tutti di formato rettangolare, più vicini alle dimensioni di un tascabile che a un libro per bambini. Avevano ventitré illustrazioni quadrate a colori con due righe di testo sotto ciascuna immagine, in caratteri sans-serif, senza maiuscole. Tutto su sfondo bianco. Il tratto è un po' più esitante e il colore più smorzato delle versioni successive.

o ja, ze gingen met de trein

een echte grote trein

hij reed zo hard hij rijden kon

en voor het raam zat nijn

Cambia tutto

Il primo libro di formato quadrato apparve nel 1959, dopo
una conversazione di Bruna con i tipografi che stampavano
i suoi manifesti, Steendrukkerij De Jong & Co., su come
replicare il successo delle riproduzioni a colori dei manifesti
nei libri per bambini. Insieme a Pieter Brattinga, figlio del
proprietario, suo compagno di scuola e grafico in tipografia,
compresero che un foglio di carta da manifesto piegato in
due formava un libro quadrato 15,5 x 15,5 cm, per dodici
illustrazioni e dodici pagine di testo, con l'immagine da un
lato e le quattro righe scritte nella pagina accanto. Questo
formato perfetto gli ricordava la casa Schröder di Gerrit

PAGINA ACCANTO

fien en pien (Fien e Pien), 1959

SOPRA

de appel (La mela), ripubblicato in
formato quadrato, 1959

Rietveld, il suo eroe del movimento De Stijl. La simmetria
e la semplicità erano squisite; da quella volta, con poche
eccezioni, i suoi libri furono sempre quadrati. Il formato
aveva anche il vantaggio di essere economico, perché se ne
potevano stampare quattro insieme. Bruna sposava appieno
quel modo di lavorare. Così nel 1959 apparve una versione
rivista di *de appel* insieme a *het vogeltje* (L'uccellino) *poesje
nel* (Il gattino Nel) e *fien en pien* (Fien e Pien).

Le differenze tra la prima e la seconda versione di *de
appel* indicano quanto l'opera di Bruna si fosse evoluta in sei
anni. Il formato quadrato, i colori brillanti, l'impaginazione,
l'illustrazione ora inserita nelle dimensioni del libro, più
che in un riquadro, funzionava tutto alla perfezione. I suoi

personaggi guardano dritto fuori dal loro mondo fatto di colori primari. Nei Paesi Bassi *de appel* non è mai andato fuori stampa.

Nel 1962, lo stesso anno in cui gli Zwarte Beertjes festeggiarono il 500° titolo con una mostra, Bruna produsse un secondo quartetto di libri: *het ei* (L'uovo), *de koning* (Il re), *circus* (Il circo) e *de vis* (*Il pesce*).

Il ritorno di Miffy

Miffy era nata per il figlio Sierk. Quando fu pubblicata nel 1963 la seconda versione dei primi due libri, Bruna aveva altri due figli: Marc, nato nel 1958 e Madelon, nata nel 1961.

Non fu solo la qualità a cambiare, ma anche la creazione. Bruna sposò appieno il metodo di «disegnare con le forbici». L'artista cominciava da uno schizzo su carta trasparente con un tratto naturale leggermente vacillante (non usò mai il righello). Quando era soddisfatto del disegno, vi posizionava sotto un pezzo di carta spessa per acquarelli e tracciava le linee con una matita dura in modo che rimanessero ricalcate nella carta. Poi con un pennello (della dimensione perfetta) riempiva i contorni con acrilico nero e la figura prendeva vita. Pennellate e trama della carta generavano la «linea con battito»[36] che animava Miffy e tutti gli altri personaggi, mai statici. Se faceva un errore, ricominciava daccapo.

A quel punto trasferiva i disegni su pellicola, e passava a decidere i colori. Il tipografo gli forniva fogli di carta con speciali colori Bruna. A prima vista, potevano sembrare colori primari, ma se ne discostavano leggermente, avevano una punta di nero che li distingueva dal rosso, blu e giallo standard. Allontanandosi da De Stijl, Bruna aggiunse poi alla sua tavolozza il marrone e il verde, semplicemente per opportunità. «L'erba deve essere verde».

Bruna creava ritagli di colore e sperimentava. Se un colore non aveva il giusto effetto, provava con un altro pezzo di carta colorata: aveva visto la tecnica applicata nel libro di Matisse, *Jazz*. Quando tutte le decisioni erano prese, il foglio con le forme a colori ritagliate e la pellicola con i contorni neri venivano spediti in tipografia.

Nel 1963, cambiarono la forma e i lineamenti di Miffy; la

metamorfosi sarebbe proseguita negli anni successivi, ma le modifiche più evidenti apparvero in quest'occasione. La testa si fece più tonda, la forma generale più piatta, le orecchie puntate verso l'alto, più affilate e simmetriche. Una versione successiva di Miffy divenne anche più corta, più tonda, con

PAGINA ACCANTO E SOPRA

Fasi successive del metodo di lavoro
di Bruna: disegni contornati di nero
trasferiti su pellicola, immagini
ricalcate, ritagli di carta colorata

A DESTRA

Fase finale del metodo di lavoro di
Bruna: foglio con ritagli di carta
colorata e pellicola con contorni
neri come mandato in tipografia

gli occhi più bassi e distanti tra loro. Il formato quadrato dei libri spinse Bruna a riconsiderare la forma degli occhi di tutti i suoi personaggi, per renderli più interessanti al lettore. Si dedicò con grande attenzione anche alla forma delle teste in generale. Come aveva imparato dalle copertine, la più piccola modifica può divenire una differenza enorme di interpretazione; più snella e ovale era la forma, meno amichevole il personaggio. Bruna stava imparando le possibilità del suo linguaggio visivo e stava guadagnando consapevolezza.

Con il viso di Miffy, in particolare, era in grado di trasmettere tanto con il minimo cambiamento dei due

SOPRA
L'evoluzione di Miffy: 1955-1963-1988-1995-2003

SOTTO
L'evoluzione delle orecchie di Miffy: 1955-1963-1979-1988-1995-2001-2003

puntini degli occhi e la croce della bocca. Senza questa tecnica per mostrare emozioni, Miffy non sarebbe riuscita a comunicare con tale successo al suo pubblico. È una specie di magia. Wim Pijbes, direttore generale del Rijksmuseum fino al 2016, spiegava: «Essendoci così poco, quel che c'è deve essere perfetto. Il peso del tratto, la posizione degli occhi, creano espressioni senza usare quasi nulla... i cinesi hanno un modo per definirlo: "Quasi perfetto è del tutto imperfetto"».[37]

Per dimostrare questo punto il Rijksmuseum fece un esperimento, chiedendo ai suoi curatori di disegnare la bocca e gli occhi di Miffy a memoria in una sagoma del suo viso. I

risultati rivelano che anche per chi aveva lo sguardo più fine fu un'impresa impossibile.

Bruna inserì intenzionalmente alcuni dei cambiamenti, ma spesso arrivarono per gioco; incidenti felici che gli piacquero. Bruna ne confermò uno: «Penso che il mio coniglietto sia diventato decisamente più umano con il passare degli anni».[38] Miffy per i bambini fu una rivoluzione, un piacevole antidoto modernista alle alternative elaborate e pesantemente illustrate disponibili all'epoca. *nijntje in de sneeuw* (Miffy nella neve) e *nijntje aan zee* (Miffy al mare) furono pubblicati insieme alle nuove versioni dei primi due, oltre al libro dedicato al Natale. E nel 1963 *nijntje* fu tradotto in inglese e divenne Miffy. Olive Jones, la traduttrice, in conversazione con Bruna, stava giocando

SOPRA, A SINISTRA

Immagine tratta da *nijntje in de sneeuw* (Miffy nella neve), 1963

SOPRA, A DESTRA

Bruna all'età di sei anni, con la cugina Joan

kerstmis (Natale), 1963, eccezione alla regola di Bruna: formato rettangolare, scritto in prosa, con carattere serif e non stampato nei colori abitualmente utilizzati dall'artista

con parole che suonassero come un coniglietto e le venne in mente la parola Miffy. Anche le storie ebbero un cambiamento di rotta; in linea con lo sguardo verso il mondo dei personaggi, Bruna cominciò a usare il discorso diretto nei testi, perché il lettore si sentisse più incluso nella trama; fu uno sviluppo enormemente importante.

Come nel caso dei precedenti progetti grafici per l'editoria, il carattere tipografico fu l'unico aspetto del libro che Bruna delegava ad altri. Usava sempre un sans-serif – adottato da Willem Sandberg – per il suo semplice aspetto minimalista. Non ci sono lettere maiuscole, in modo che le parole sulla pagina non confliggano mai con l'immagine; è lettering senza chiasso. Bruna stava facendo quel che sentiva giusto, appellandosi al bimbo di quattro anni dentro di sé e mettendo a frutto le influenze che aveva raccolto lungo la via. Pur non sapendolo ancora, grazie a lui Miffy si trovava sulla strada per diventare il coniglio più famoso al mondo.

Autore e illustratore

Nel 1955, Bruna divenne con riluttanza vicedirettore della A.W. Bruna, ma senza cambiare la sua routine. Evitò accuratamente qualsiasi cosa riguardasse la quotidiana realtà economica della società, rimanendo nel suo nido creativo all'ultimo piano. Sentiva l'obbligo di esprimere il suo estro attraverso l'illustrazione e non si riconciliò mai con l'attività finanziaria dell'«azienda di mio padre». Nel 1966, Jaap Romijn, l'amico che fungeva da paraurti e legame con il lato commerciale dell'attività, se ne andò per l'incarico più creativo di Direttore del Museo della Ceramica di Princesshof a Leeuwarden.

Nel 1970 Bruna aveva assunto il ruolo di art director, rinunciando gradualmente alla progettazione delle copertine per supervisionare la squadra dei grafici. Il genere in voga all'epoca, per il quale Bruna provava meno interesse, era la fantascienza. «Non riuscivo a leggerla, la trovavo davvero difficile».[39] Colse l'opportunità di ritirarsi ulteriormente dal coinvolgimento quotidiano e trasferì il suo studio fuori dalla casa editrice. Nel 1975, con la società in sofferenza, smise del tutto la sua collaborazione.

Il tipografo Steendrukkerij De Jong dava la possibilità ai grafici di incontrarsi nei loro studi aperti. Era la cosa che si avvicinasse di più a un club di grafici, dove poter discutere di manifesti e grafiche e vederli in stampa. Lì Bruna chiacchierò con alcuni dei pionieri della grafica olandese postbellica, come Otto Treumann, Jan Bons e Gerard Wernars.[40]

Steendrukkerij De Jong diede a Bruna un altro dono: il collaboratore interno e amico Pieter Brattinga. Quando cominciarono ad arrivare richieste di utilizzare illustrazioni di Bruna per articoli di merchandising, Brattinga capì quali fossero le implicazioni per l'integrità dei personaggi e la qualità delle opere. Così, nel 1971 i due amici fondarono la Mercis bv, la società che avrebbe controllato e guidato qualsiasi attività derivata. Brattinga divenne il guardiano ufficiale di Miffy e amministratore di disegni, colori e diritti di Bruna. I due amici non potevano immaginare quale impresa globale sarebbe diventata. Per fortuna, ancora una volta, Bruna poté rimanere distante dagli affari per concentrarsi sulla sua arte.

Bruna si dedicò ai suoi libri e a commissioni per altri lavori. Nel 1969, progettò una serie di cinque francobolli per il servizio poste, telegrafi e telefoni olandese e nel 1972 realizzò un murale per un nuovo padiglione dell'ospedale pediatrico di Leidschendam. Con il procedere del decennio, produsse illustrazioni per enti benefici per l'infanzia e organizzazioni come Amnesty International. Continuò a progettare e illustrare manifesti per questioni locali e internazionali, come UNICEF. La città di Utrecht fu particolare beneficiaria della sua arte, come le attività locali. In riconoscimento, nel 2007, gli fu donata una speciale spilla d'oro della città di Utrecht.

Bruna non traeva ispirazione solo da artisti e grafici, ma anche da tutti coloro che lo circondavano, compreso l'uomo che vedeva davanti allo specchio. *betje big* (La porcellina Poppi) si ispirava a una delle insegnanti più amate di uno dei figli, che all'inizio non era così sicura dell'onore ricevuto, ma arrivò ad amare la sua personificazione illustrata. *snuffie*, il cane, con quegli occhi innocenti e i due baffetti sotto al naso, potrebbe essere in parte Miffy, in parte Bruna. L'orso Boris, autoritratto, alter ego, è una creatura timida ma amabile, fortunata di avere Barbara a occuparsi di lui. Barbara è sveglia e pratica. «È proprio come a casa» ammise Bruna.[41] Boris spuntò nella mente di Bruna in Francia, sul limitare della foresta vicina alla loro casa estiva. E persino quando usciva a fare spese, Bruna pensava a idee per i suoi libri. «Non c'è niente di meglio dei colori e degli odori di un mercato francese».[42] L'ispirazione per le storie era sempre vicino a casa o veniva da ricordi personali, un riflesso della sua esperienza di vita con tre bambini. Quando non lavorava, Bruna diventava irrequieto e spesso Irene doveva spedirlo in studio.

Nel frattempo, Miffy si faceva notare. I bambini amavano la coniglietta e le sue avventure quotidiane. Così

Immagine tratta da *de boot van boris* (La barca dell'orso Boris), 1996

Bruna dovette in parte accantonare altri personaggi e idee per dedicarsi, malgrado la timidezza, al suo pubblico. C'erano visite a scuola, interviste, tour mondiali, lettere di ammiratori a cui rispondere, e ore e ore passate a firmare autografi. La firma era diventata una parola unica "DickBruna". Il processo di distillazione era completo.

Si sono tenute importanti mostre delle opere di Bruna nel corso degli anni, da Tokyo a Parigi e, nel 2015, il Rijksmuseum ha organizzato una retrospettiva dedicata ai sessant'anni di opere e di progetti grafici di Bruna. Come dichiarato da Taco Dibbits, direttore generale del museo dal 2016, «è evidente che appartiene a una tradizione che parte da Saenredam, passa da Vermeer e arriva a Mondrian».[43]

La vita in studio

Bruna amava le finestre, il loro simbolismo e la loro realtà,
da quella davanti a cui stava durante la guerra, alle vetrate
istoriate di Matisse, alle molte finestre che compaiono
nei suoi libri e stampe. «Le finestre mi hanno sempre
affascinato, perché danno una cornice e offrono una vista.
Da un punto di solitudine entra il mondo esterno; guardando
fuori dalla finestra questo mondo entra più facilmente».[44] I
libri di formato quadrato sono come finestre nel mondo dei
suoi personaggi e danno conforto e felicità ai suoi lettori.

Nello stesso modo, lo studio di Bruna offre all'osservatore
una finestra sulla sua vita e opere; chi lo visita sente,
ancora oggi, la sua presenza. Nel corso della vita, Bruna ha
occupato tre studi a Utrecht: l'attico sopra la casa editrice,
che lasciò nel 1970, quello al 15 di Nieuwegracht e infine al
3 di Jeruzalemstraat, dove andò nel 1981, meticolosamente

A SINISTRA E PAGINA ACCANTO
Disegni che Bruna lasciava sul
tavolo della cucina per Irene

92

ricostruito nel Centraal Museum di Utrecht.

Oltre alla famiglia, le ore in studio erano la sua vita. Ci andava sei, spesso sette giorni alla settimana. Tutte le mattine si alzava intorno alle 5.30, preparava una spremuta d'arancia per Irene, e le faceva un disegnino da ammirare durante la colazione, qualcosa che avesse un collegamento con la sua giornata o che era accaduto il giorno prima. Irene li ha conservati tutti.

I figli dormivano ancora nelle loro stanze, ciascuna del loro colore preferito: verde quella di Sierk; blu per Marc e rosso per Madelon.[45]

Poi partiva inforcando la bicicletta: «Per me la felicità è andare in bicicletta fino allo studio molto presto al mattino».[46] Per quasi sessant'anni lo si vedeva abitualmente percorrere in bici le stradine di ciottoli, passare davanti alla casa progettata da Rietveld, per lui fonte di grande ispirazione, prima di fermarsi a bere un caffè e leggere il giornale.

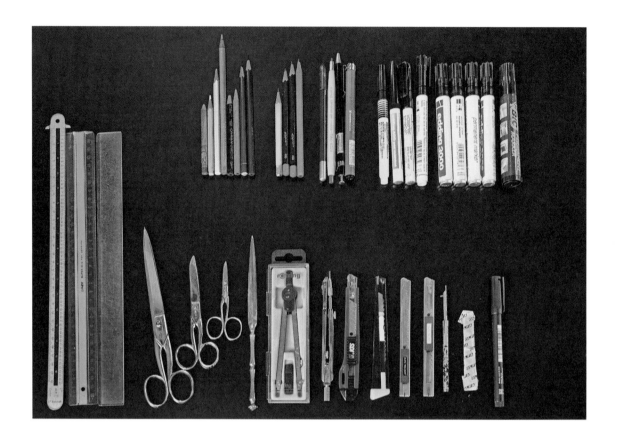

Poi, alla scrivania, la stessa tensione prima di mettersi al lavoro. «Ogni giorno provo a migliorarmi un po' rispetto a ieri». Trascorreva le mattine a disegnare e a pranzo andava a casa da Irene. Di ritorno in studio, passava i pomeriggi a guardare ciò che aveva creato nella prima parte della giornata o a ridisegnare, come necessario. «Passo molto tempo a rendere i miei disegni più semplici possibili, ne getto via molti, prima di raggiungere quel momento di accettazione».[47]

Mentre disegnava e tagliava, Bruna ascoltava l'amata *chanson* francese, ma quando era concentrato sulla storia spegneva la musica perché non interferisse con l'elaborazione del ritmo. Negli anni si sono fatte alcune illazioni su Bruna come autore, ma le parole del figlio Sierk confermano: «Mio padre era un vero cantastorie».[48]

Le illustrazioni sono potenti pittogrammi, ma i libri funzionano nel complesso perché hanno testi a cui i bambini possono far riferimento. Rifiniva le illustrazioni prima di

scrivere le parole, ma sempre con la narrazione in testa. Il risultato, che fosse voluto o meno, è che forniva vari modi di "leggere" i suoi libri.

Bruna tornava a casa tra le cinque e le sei, in tempo per la cena e un buon bicchiere di vino. «È una cosa che mi piace molto».[49] Poi a letto presto, intorno alle nove. A prescindere dalla ricchezza e dal successo raggiunto, questa era la routine che Bruna adorava. Era un «casalingo».[50]

Se era teso quando disegnava, risultava altrettanto nervoso quando arrivava il momento di mostrare a Irene un nuovo libro. «È come presentarsi a un esame. La guardo e le vedo sul viso se è un sì o un no».[51] Se il libro otteneva un sì, lo portava avanti, altrimenti lo metteva nel cassetto, forse per ripensarci in futuro. Ma se guardaste in uno di quei cassetti, trovereste più carta a colori primari che progetti scartati.

Le pareti del suo studio sono ancora ricoperte di lettere e disegni di amici e ammiratori. Una di queste risalta in

particolare; è di Charles M. Schulz, creatore dei Peanuts. I due artisti si erano incontrati una sola volta, ma si erano piaciuti da subito, avevano chiacchierato amabilmente per un paio d'ore come vecchi amici, perciò continuarono a scriversi. Schulz gli raccontava che usava una mano per tenere ferma l'altra nel disegnare linee dritte. Bruna si sentiva fortunato a non aver mai avuto bisogno del consiglio.

Gli scaffali sono pieni di edizioni straniere dei suoi libri e di altri libri per l'infanzia, tra cui quelli di Roald Dahl, Ludwig Bemelmans, Tomi Ungerer e John Burningham.

Ci sono molti, moltissimi regali dagli ammiratori di Miffy di tutto il mondo. Come ci si potrebbe aspettare, tutto è organizzato e ordinato. A chi andava in visita venivano offerti tè e biscotti. A Bruna piaceva che i visitatori fossero puntuali, ma non era mai scortese e i suoi occhi vivaci non suggerivano mai che preferisse tornare a lavorare.

Un giorno, in giro in bicicletta per una commissione durante le vacanze estive, Bruna si fermò e scese dalla bici. Chi lo vide non pensò che stesse succedendo qualcosa, si era abituati all'artista che si fermava a prendere un appunto. Ma, in quella occasione, gli era mancato il respiro. Una visita dal medico confermò che la situazione era grave e che

PAGINA ACCANTO

Alfabeto Bruna, decorazione da parete di IXXI Design, Olanda

SOTTO

Francobolli creati da Bruna, Olanda, 2005

aveva bisogno di un pacemaker. Decise di smettere di andare
in studio. Malgrado gli incoraggiamenti della famiglia,
sorpresa dalla brusca decisione, non si convinse. Aveva
deciso: non voleva lavorare se non poteva dare tutto se stesso.

Così, in una giornata estiva di sole nel 2011, Bruna posò
le sue matite perfettamente temperate, le penne, i pennelli
e le forbici. Come al solito, lasciò tutto pronto per il giorno
dopo. Chiuse lo studio, inforcò la bicicletta e andò a casa.
Non tornò mai più.

Bruna morì nel sonno il 16 febbraio 2017. Alla sua morte
aveva creato 124 libri a figure, 32 dedicati a Miffy con oltre
85 milioni di copie vendute in più di 50 lingue. Il coniglietto
era diventato un'industria e Bruna una star internazionale,
ben oltre la sfera dei libri per l'infanzia.

La semplice complessità della sua opera, i colori, lo
spazio, il testo scelto con cura e il controllo completo hanno

SOPRA

Immagine tratta da *nijntje op de
fiets* (Miffy in bicicletta), 1982

paradossalmente affascinato e rapito lettori di diverse età. Dick Bruna ha creato un personaggio che parla a tutti. È una bella impresa.

Quando sarò finito io, saranno finiti i disegni.[52]

Ma la storia non è finita. Non ci sono più nuovi disegni, ma la macchina Miffy seguita a funzionare e il lascito di Bruna rimane vivo; i libri continuano a vendere milioni di copie. Ci sono film, musical, mostre e articoli di merchandising a colori primari di tutte le forme e dimensioni.

Nel 2006 ha aperto a Utrecht, davanti al Centraal Museum, la Bruna Huis, ribattezzata poi Miffy Museum nel 2016, dopo un programma di rinnovamento; ora conserva più di 1200 opere in esposizione permanente. È un paese

SOPRA

Immagine tratta da *nijntje in het museum* (Miffy al museo), 1997

delle meraviglie per i bambini che amano Miffy e la stella polare per i suoi ammiratori.

Se Bruna avesse creato la copertina della storia della sua vita, quale sagoma avrebbe scelto? Una bicicletta? Forbici e pennelli ben curati, deliziosamente ritagliati e disposti su un formato di finestra quadrata? Avrebbe forse aggiunto un paio di mustacchi? Il suo logo sarebbe stato un coniglio o un orso? Questa copertina non esiste, ma *nijntje in het museum* (Miffy al museo), pubblicato nel 1997, è come un memoir in dodici doppie pagine che rivela non solo le influenze di Bruna, ma anche la sua giocosità e il suo amore viscerale per l'arte. In un'immagine in particolare è stata riprodotta *La gerbe* di Matisse, una delle opere preferite da Bruna, inequivocabilmente *à la Miffy*. Nell'osservare Miffy di spalle che ammira il dipinto, non abbiamo bisogno di vedere i due puntini e la croce per carpire la gioia e la meraviglia sul suo viso. Questa illustrazione ci racconta tutto ciò che c'è bisogno di sapere su Dick Bruna, l'artista.

1. Lisa Allardice, 'Bunny love', *The Guardian*, 15 febbraio 2006.
2. Ella Reitsma e Kees Nieuwenhuijzen, *Paradise in Pictograms: The Work of Dick Bruna*, Mercis bv, 1991, p. 12.
3. *Simply Bruna* (documentario), AVRO – Wereldomroep –Cine/Vista, 1995.
4. Joke Linders, Koosje Sierman, Ivo de Wijs, Truusje Vrooland-Löb, *Dick Bruna*, Waanders Publishers, Zwolle/Mercis bv, 2006, p. 73.
5. Horatia Harrod, *The Telegraph*, 31 luglio 2008.
6. Benjamin Secher, 'I saw Matisse – and came up with Miffy', *The Telegraph*, 9 dicembre 2006.
7. Reitsma, *Paradise in Pictograms*, cit., p. 16.
8. Linders et al., *Dick Bruna*, cit., p. 97.
9. Reitsma, *Paradise in Pictograms*, cit., p. 18.
10. Horatia Harrod, *The Telegraph*, 31 luglio 2008.
11. Benjamin Secher, *The Telegraph*, 9 dicembre 2006.
12. Caro Verbeek, *Dick Bruna. Artist*, pubblicato in occasione della mostra *Dick Bruna. Artist*, Rijksmuseum, Amsterdam, 27 agosto – 15 novembre 2015, p. 56.
13. *Ibid.*, p. 27.
14. Alastair Sooke, *The Telegraph*, 27 aprile 2010.
15. Alastair Sooke, *Henri Matisse: a second life*, citato in Alastair Sooke, 'How Henri Matisse created his masterpiece', *The Telegraph*, 15 aprile 2014.
16. *Simply Bruna* (documentario), cit.
17. Lucy Davies, 'Many hoppy returns: Miffy turns 60', *The Telegraph*, 20 giugno 2015.
18. Reitsma, *Paradise in Pictograms*, cit., p. 32.
19. *Simply Bruna* (documentario), cit.
20. Céline Rutten, *Gesprekken met Dick Bruna*, Atlas, Amsterdam, 2011.
21. Reitsma, *Paradise in Pictograms*, cit., p. 48.
22. Linders et al., *Dick Bruna*, cit., p. 407.
23. *Ibid.*, p. 400.
24. Reitsma, *Paradise in Pictograms*, cit., p. 48.
25. Linders et al., *Dick Bruna*, cit., p. 325.
26. Lettera di Simenon, collezione privata Bruna, Mercis bv.
27. Reitsma, *Paradise in Pictograms*, cit., p. 48.
28. *Ibid.*, p. 28.
29. Douglas Martin, *The New York Times*, 1 novembre 2002.
30. Reitsma, *Paradise in Pictograms*, cit., p. 54.
31. *Simply Bruna* (documentario), cit.
32. Dick Bruna, *Miffy at the Seaside*, tradotto da Patricia Crampton, World International, 1997.
33. Reitsma, *Paradise in Pictograms*, cit., p. 56.
34. *Ibid.*
35. Linders et al., *Dick Bruna*, cit., p. 38.
36. Benjamin Secher, *The Telegraph*, 9 dicembre 2006.
37. Karin van Zwieten (a cura di), *60 Years of Miffy, A Celebration of Miffy's 60th Anniversary*, Mercis bv, 2015.
38. *Icon and Inspiration*, Human Factor Television, commissionato da Mercis bv, 2005.
39. Horatia Harrod, *The Telegraph*, 31 luglio 2008.
40. Linders et al., *Dick Bruna*, cit., p. 408.
41. *Ibid.*, p. 292.
42. *Ibid.*, p. 276.
43. Taco Dibbits, *The New York Times*, 20 febbraio 2017.
44. Linders et al., *Dick Bruna*, cit., p. 221.
45. Lucy Davies, *The Telegraph*, 20 giugno 2015.
46. Miffy.com, copyright Mercis bv.
47. Nina Siegal, *The New York Times*, 20 febbraio 2017.
48. Lucy Davies, *The Telegraph*, 20 giugno 2015.
49. Lisa Allardice, *The Guardian*, 15 febbraio 2006.
50. Reitsma, *Paradise in Pictograms*, cit., p. 72.
51. Lisa Allardice, *The Guardian*, 15 febbraio 2006.
52 Benjamin Secher, *The Telegraph*, 9 dicembre 2006.

BIBLIOGRAFIA

Libri scritti e illustrati da Dick Bruna

I titoli sono indicati nella versione originale olandese (con traduzioni italiane) e l'anno è quello della prima edizione in Olanda.
A seguire le edizioni italiane.

de appel (La mela), 1953 (seconda versione, 1959)
toto in volendam (Toto a Volendam), 1955
nijntje (Miffy), 1955 (seconda versione, 1963)
nijntje in de dierentuin (Miffy allo zoo), 1955 (seconda versione, 1963)
kleine koning (Il piccolo re), 1955

tijs (Tijs), 1957
de auto (La macchina), 1957
het vogeltje (L'uccellino), 1959
poesje nel (Il gattino Nell), 1959
fien en pien (Fien e Pien), 1959
het ei (L'uovo), 1962
de koning (Il re), 1962
circus (Il circo), 1962
de vis (Il pesce), 1962
nijntje in de sneeuw (Miffy nella neve), 1963
nijntje aan zee (Miffy al mare), 1963
kerstmis (Natale), 1963
de school (La scuola), 1964
de matroos (Il marinaio), 1964

ik kan lezen (So leggere), 1969
ik kan nog meer lezen (So leggere di più), 1969
assepoester (Cenerentola), 1966
klein duimpje (Pollicino), 1966
roodkapje (Cappuccetto rosso), 1966
sneeuwwitje (Biancaneve), 1966
b is een beer (B come orso Bruno), 1967
boek zonder woorden (Una storia da raccontare), 1968
telboek (So contare), 1968
snuffie (Snuffie), 1969
snuffie en de brand (Snuffie e il fuoco), 1969

nijntje vliegt (Miffy vola), 1970
het feest van nijntje (Il compleanno di Miffy), 1970
telboek 2 (So contare 2), 1972
mijn hemd is wit (Il mio vestitino è bianco), 1972
dierenboek (Il libro degli animali), 1972
dieren uit ons land (Animali della nostra terra), 1972
dieren uit andere landen (Animali di altri paesi), 1972
boek zonder woorden 2 (Un'altra storia da raccontare), 1974
ik ben een clown (Sono un clown), 1974
bloemenboek (Libro dei fiori), 1975
nijntje in de speeltuin (Miffy al parco-giochi), 1975
nijntje in het ziekenhuis (Miffy in ospedale), 1975
ik kan nog veel meer lezen (So leggere molto di più), 1976
ik kan moeilijke woorden lezen (So leggere parole difficili), 1976
basje gaat logeren bij kinderneurologie (Basje va a stare nel reparto di neurologia pediatrica), 1977
betje big (La porcellina Poppi), 1977
de tuin van betje big (Il giardino di Poppi), 1977
verjaardagboekje t.b.v. UNICEF, 1979
nijntjes droom (Il sogno di Miffy), 1979
betje big gaat naar de markt (Poppi va al mercato), 1980
heb jij een hobbie? (Quando sarò grande), 1980
ik kan sommen maken (So fare le addizioni), 1980
ik kan nog meer sommen maken (So fare altre addizioni), 1980
jeroen heeft hemofilie (Jeroen ha l'emofilia), 1980
rond, vierkant, driehoekig (Tondo, quadrato, triangolare), 1982
jan (Jan), 1982
nijntje op de fiets (Miffy in bicicletta), 1982
de redding (Il salvataggio), 1984
wij hebben een orkest (L'orchestra), 1984
nijntje op school (Miffy a scuola), 1984
sportboek (Il mio libro dello sport), 1985
wie zijn hoed is dat? (Di chi questo cappello?) 1985
wie zijn rug is dat? (Chi è tornato?), 1985
lente, zomer, herfst en winter (Primavera, estate, autunno, inverno), 1986
de verjaardag van betje big (Il compleanno di Poppi), 1986
de puppies van snuffie (I cuccioli di Snuffie), 1986
nijntje gaat logeren (Miffy rimane), 1988

opa and oma pluis (Nonno e nonna coniglio), 1988
stoeprand...stop! (Marciapiedi… fermi!), 1988
iris een boek zonder woorden (Iris, un libro senza parole), 1988 (edizione rivista, 2000)
boris beer (L'orso Boris), 1989
boris en barbara (Boris e Barbara), 1989
boris op de berg (Boris in montagna), 1989
de schrijfster (La scrittrice), 1990
lotje (Lottie), 1990
nijntje huilt (Miffy piange), 1991
het huis van nijntje (La casa di Miffy), 1991
het feest van tante trijn (La festa di zia Trin), 1992
boris in de sneeuw (Boris nella neve), 1994
boris, barbara en basje (Boris, Barbara e Basje), 1994
betje big is ziek (Poppi sta male), 1994
eegje egel (Eeg il riccio), 1995
boe zegt de koe (Muu fa la mucca), 1995
nijntje in de tent (Miffy nella tenda), 1995
wat wij later worden (Che cosa diventeremo), 1996
het haar van de pop is rood (I capelli della bambola sono rossi), 1996
de boot van boris (La barca dell'orso Boris), 1996
lieve oma pluis (Cara nonna coniglio), 1996
weet jij waarom ik huil? (Sai perchè piango?), 1997
nijntje in het museum (Miffy al museo), 1997
betje big gaat met vakantie (Poppi va in vacanza), 1998
betje big gaat met vakantie (Il negozio di Poppi), 1998
ruben en de ark van noach (Ruben e l'arca di Noè), 1998
nijntje en nina (Miffy e Nina), 1999
pim en wim (Pim e Wim), 1999
boris en de paraplu (Boris e l'ombrello), 1999
meneer knie (Signor Ginocchio), 2000
het spook nijntje (Miffy il fantasma), 2001
nijntje de toverfee (Miffy la fata), 2001
nijntje danst (Miffy balla), 2002
boris de piloot (Boris il pilota), 2002
de verkleedkist van barbara (La cassapanca dei vestiti di Barbara), 2002
boris de kampioen (Boris il campione), 2003
de brief van nijntje (La lettera di Miffy), 2003

kleine pluis (Il nuovo bebè), 2003
een lied voor betje big (Una canzone per Poppi), 2004
de tuin van nijntje (Il giardino di Miffy), 2004
snuffie is zoek (Snuffie non si trova), 2005
boris en ko (Boris e Ko), 2005
nijntje in luilekkerland (Miffy nel paese dei balocchi), 2005
boris doet de boodschappen (Boris fa la spesa), 2005
een fluit voor nijntje (Un flauto per Miffy), 2005
vogel piet (L'uccellino Piet), 2006
hangoor (Orecchio a penzoloni), 2006
koningin nijntje (La regina Miffy), 2007
een maatje voor snuffie (Un amico per Snuffie), 2008
nijntje is stout (Miffy è cattiva), 2008
een cadeau voor opa pluis (Un regalo per nonno coniglio), 2009
knorretje (Maialino), 2010
op de step (Sul monopattino), 2010
knorretje en de oren van nijntje (Maialino e le orecchie di Miffy), 2011
ezelsoor (Orecchio d'asino), 2012

Libri e articoli dedicati a Dick Bruna

Allardice, Lisa, 'Bunny love', *The Guardian*, 15 febbraio 2006
Harrod, Horatia, 'Dick Bruna talks about his life and work', *The Telegraph*, 31 luglio 2008
Kohnstamm, Dolf, *The Extra in the Ordinary: Children's Books by Dick Bruna*, Mercis bv, 1976
Linders, Joke, Koosje Sierman, Ivo de Wijs e Truusje Vrooland-Löb, *Dick Bruna*, Waanders Publishers, Zwolle/Mercis Publishing bv, Amsterdam, 2006
Reitsma, Ellae Kees Nieuwenhuijzen, *Paradise in Pictograms: The Work of Dick Bruna*, commissionato da Mercis bv, Amsterdam, 1991
Secher, Benjamin, 'I saw Matisse – and came up with Miffy', *The Telegraph*, 9 dicembre 2006
Verbeek, Caro, *Dick Bruna. Artist*, pubblicato in occasione della mostra *Dick Bruna. Artist*, Rijksmuseum, Amsterdam, 27 agosto - 15 novembre 2015
Zwieten, Karin van (a cura di), *60 Years of Miffy, A Celebration of Miffy's 60th Anniversary*, Mercis bv, 2015

Edizioni italiane

L'uccellino giallo, Editoriale Milanese, 1964
Lolli e Lalli, Editoriale Milanese, 1964
Tanti giochi colorati, Emme, 1975
Nella mia casa, Emme, 1975
Con la mucca e la gallina latte e uova ogni mattina, Emme, 1975
Buongiorno-buonanotte, Edibimbi, 1986
Vieni in campagna, Euroclub Italia, 1988
Vieni a casa mia, Euroclub Italia, 1988
I miei giocattoli, Mondadori, 1988
La fattoria, Mondadori, 1988
A passeggio, Mondadori, 1988
La mia casa, Mondadori, 1988
Gioco con gli animali, Mondadori, 1988
Gioco con le cose, Mondadori, 1988
Billi, l'orsacchiotto, Mondadori, 1991
Snuffi, il cagnolino, Mondadori, 1991
Poppi, la porcellina, Mondadori, 1991

Ninni, la coniglietta, Mondadori, 1991
Gioca con Poppi, Mondadori, 1992
Gioca con Ninni, Mondadori, 1992
Gioca con Snuffi, Mondadori, 1992
Gioca con Billi, Mondadori, 1990
Giochi con Pappi, Mondadori, 1992
Miffy, Archinto, 1998
La casa di Miffy, Archinto, 1998
Miffy allo zoo, Archinto, 1998
Miffy al parco, Archinto, 1998
Miffy e la palla, Archinto, 1998
Dov'è Miffy, Archinto, 1998
Il compleanno di Miffy, Archinto, 1999 (con puzzle da costruire)
Che cosa faccio oggi?, Archinto, 1999
Quando sarò grande, Archinto, 1999
Le prime scoperte di Miffy: un libro bagno, Panini, 2003
Miffy gioca con l'acqua: un libro bagno, Panini, 2003
La bicicletta di Miffy, Panini, 2003
Miffy va a scuola, Panini, 2003

Miffy balla, Panini, 2003
Miffy compie gli anni, Panini, 2003
Miffy vola, Panini, 2003
Miffy fatina, Panini, 2003
La storia del Natale, Panini, 2003
I giocattoli di Miffy, Liscianigiochi, 2004
Un giorno con Miffy, Panini, 2004
Miffy al museo, Panini, 2004
Chi c'è allo zoo, Miffy?, Panini, 2004
Chi bussa alla porta, Miffy?, Panini, 2004
Cosa scopre, Miffy?, Panini, 2004
Un fratellino per Miffy, Panini, 2004
La lettera di Miffy, Panini, 2004
Cucu, Miffy! Chi sei tu?, Panini, 2005
Giochiamo a nascondino, Miffy?, Panini, 2005
Il pesce, Vanvere edizioni, 2021

CRONOLOGIA

1927 Dick Bruna nasce a Utrecht
1943 Scrive il suo primo libro, *Japie*
1946 Primo progetto grafico di una copertina per la casa editrice del padre, A. W. Bruna & Zoon Uitgevers
1947 Disegna il suo primo manifesto
1952 Viene assunto da A. W. Bruna come grafico di copertine e manifesti
1953 Pubblica il suo primo libro a figure, *de appel*. Sposa Irene de Jongh
1954 Nasce il primogenito Sierk
1955 Viene pubblicato, in formato rettangolare, il primo libro dedicato a Miffy
1956 Disegna il suo primo manifesto per la collana Zwarte Beertjes
1958 Nasce il figlio Marc. Riceve l'Afficheprijs per un manifesto degli Zwarte Beertjes
1959 Viene introdotto nei suoi libri il caratteristico formato quadrato (15,5 x 15,5 cm)
1961 Nasce la figlia Madelon
1963 Viene pubblicata una nuova edizione di Miffy in formato quadrato. Methuen pubblica l'edizione inglese
1964 I libri di Miffy vengono pubblicati in Giappone, con sedici ristampe in quattro anni
1969 Disegna una serie di cinque

francobolli per la società di poste e telegrafi olandese
1971 Viene fondata la Mercis bv. Si avvia la produzione di merchandising con puzzle Ravensburger
1972 Produce murali per il reparto pediatrico di un nuovo ospedale a Leidschendam, in Olanda
1975 Disegna biglietti d'auguri per Amnesty International
1977 Il museo municipale di Arnhem ospita una mostra dedicata a Miffy; Bruna viene presentato per la prima volta come artista da museo
1980 Royal Victoria Infirmary, di Newcastle upon Tyne, gli commissiona la realizzazione di *jeroen heeft hemofilie*, un libro di storie per raccontare i pericoli dell'emofilia
1983 Decorato Cavaliere dell'ordine di Orange-Nassau in Olanda
1986 Disegna il simbolo 'Utrecht – una città del cuore', ancora oggi in uso
1987 Gli viene donata la spilla ufficiale della città di Utrecht per il suo sessantesimo compleanno
1990 Riceve il Golden Brush Award per le illustrazioni di *boris beer*. Riceve D. A. Thiemeprijs per la sua intera *oeuvre*

1991 Retrospettiva presso il Georges Pompidou Centre di Parigi. *Nijntje aan zee – Miffy at the Seaside* viene pubblicato in Braille per la prima volta (in olandese e inglese) per il 20° anniversario di Mercis bv
1992 Première televisiva in Olanda di cinquantadue cortometraggi sulle storie dei libri
1994 Viene inaugurata a Utrecht una statua di bronzo di Miffy creata dal figlio Marc
1995 Crea francobolli natalizi e altri prodotti per la società reale di poste e telegrafi. Riceve il H. N. Werkmanprijs per le sue copertine e manifesti. Viene fondata la Mercis Publishing
1996 Retrospettiva, *The Smell of Success*, Groninger Museum. Apre il primo negozio Miffy ad Amsterdam. Vince il Silver Brush Award per le illustrazioni di *nijntje in de tent*
1997 Diventa il primo straniero a creare una serie di francobolli per il Ministero delle Poste giapponese. Vince il Silver Slate Award per il testo di *lieve oma pluis* (Cara nonna coniglio)
1999 Si tiene per due anni in Giappone la mostra itinerante *The World of Dick Bruna* in occasione del

400° anniversario delle relazioni commerciali tra Olanda e Giappone, che attira 370.000 visitatori

2000 Miffy è inserita nel *Guinness Book of Records* per aver ricevuto un numero record di biglietti di auguri di compleanno (37.865 da più di ottanta paesi). Retrospettiva presso il Centraal Museum di Utrecht. Crea il libro *ezelsoor* (Orecchio d'asino), su richiesta della Fondazione per la promozione dei libri olandesi (CPNB)

2001 Première di *Miffy the Musical*. Viene pubblicato il suo centesimo libro per l'infanzia. Viene decorato Cavaliere dell'Ordine del Leone dei Paesi Bassi, massimo onore di cui un cittadino olandese possa essere insignito

2002 Crea il logo per la giornata mondiale dell'AIDS in occasione della campagna 'Stop AIDS Now'

2003 Mostra interattiva presso il museo per l'infanzia Crayola FACTORY® negli Stati Uniti

2004 Great Ormond Street Hospital, a Londra, costruisce un reparto Miffy, il primo a tema mai progettato. Miffy diventa ambasciatrice del turismo per famiglie a New York, per attirare famiglie di turisti in città dopo l'attacco terroristico alle Torri gemelle

2005 Viene coniata dalla Zecca reale olandese la prima moneta di Miffy

2006 Apre a Utrecht la Bruna Huis (parte del Centraal Museum), con una mostra permanente di 1.200 originali. *Dutch Treats: Contemporary Illustrations from the Netherlands* presso l'Eric

Carle Museum negli Stati Uniti presenta l'opera di tredici artisti tra cui Bruna. Mostra itinerante in Regno Unito *Happy Birthday Miffy!* inaugura a Londra come Mostra della riapertura del V&A Museum of Childhood. Viene pubblicato in olandese e inglese *dick bruna – a biography* da Waanders

2007 Celebra l'80° compleanno. Crea una illustrazione per UNICEF. Riceve una speciale spilla d'oro della città di Utrecht

2008 Dopo quarant'anni torna a creare una copertina per gli Zwarte Beertjes in occasione del 140° anniversario della A. W. Bruna. Viene inserito nel progetto di Andrew Zuckerman *Wisdom* che presenta settantacinque importanti anziani che si sono distinti in tutto il mondo in varie discipline

2010 Viene fotografato da Erwin Olaf per *A Journey to Excellence*, tributo a cittadini olandesi che si sono distinti nei loro ambiti, ora parte della collezione permanente del Rijksmuseum

2011 Selezione di 120 opere date in prestito a lungo termine alla Print Room del Rijksmuseum. *Miffy in Fashion*, mostra presso il Centraal Museum. In estate si ritira dall'attività. Miffy diventa il simbolo del Children's Museum Award, il cui trofeo è un modello in scala della statua in bronzo di Miffy a Utrecht

2013 Première di *Miffy the Movie* in Olanda, con record di incassi per

un film per bambini

2014 Inaugura in Corea il primo parco a tema Miffy. Collaborazione a lungo termine con la Royal Netherlands Gymnastics Union

2015 Miffy celebra il suo 60° compleanno. Inaugura al Rijksmuseum la mostra *Dick Bruna. Artist*. Sessanta artisti internazionali decorano ciascuno una statua di Miffy alta un metro e ottanta centimetri per il Miffy Art Parade, tutte poi in mostra e messe all'asta per UNICEF. Miffy è la mascotte di Le Grand Depart del Tour de France a Utrecht. Viene inaugurato *The Studio: Dick Bruna*, presso il Centraal Museum, una replica accurata dello studio dove Bruna ha lavorato per molti decenni

2016 La Bruna Huis di Utrecht riapre come Miffy Museum. Viene premiato con il Max Velthuijs Prize, un premio alla carriera per illustratori per l'infanzia, consegnato ogni tre anni

2017 16 febbraio, muore

2018 La mostra *The Dark Side of Dick Bruna* inaugura presso il Kunsthal di Rotterdam, con più di 350 originali della collana Zwarte Beertjes

2019 In occasione dell'anno di Rembrandt viene pubblicato in olandese e inglese *Miffy x Rembrandt* da Mercis Publishing e il Rijksmuseum. Mostra presso l'Albus Gallery di Seoul, in Corea del Sud

2020 Si celebrano in tutto il mondo i sessantacinque anni di Miffy

AUTORI

Bruce Ingman è premiato autore, illustratore e collaboratore di lungo corso con Allan Ahlberg per libri come *The Runaway Dinner*, *The Pencil* e *My Worst Book Ever*. Dirige il corso di illustrazione per l'infanzia a Goldsmith, University of London ed è ambasciatore della House of Illustration.

Ramona Reihill ha lavorato molti anni come editor di libri per l'infanzia, occupandosi di un catalogo che comprendeva anche Miffy. Di recente ha avviato una collaborazione con l'ente benefico Fighting Words come facilitatrice e guida nella scrittura.

Quentin Blake è uno dei maggiori illustratori inglesi. Per vent'anni ha insegnato presso il Royal College of Art dove è stato capo del Dipartimento di Illustrazione dal 1978 al 1986. Nel 2013 ha ricevuto la nomina a cavaliere per il suo servizio all'illustrazione e nel 2014 è stato ammesso alla Légion d'honneur in Francia.

Claudia Zeff è art director attiva da anni nel campo dell'illustrazione editoriale. Ha contribuito a creare la House of Illustration insieme a Quentin Blake, dove ricopre ora il ruolo di vicepresidente. Dal 2011 lavora come consulente creativa di Quentin Blake.

Questo è il libro di Dick Bruna, perciò un sentito ringraziamento alla sua famiglia: Irene, Sierk, Madelon e Marc; e alla sua seconda famiglia, la Mercis, in particolare Karin van Zwieten, Stijn van Grol e Marja Kerkhof. Un ringraziamento anche ai curatori della collana Quentin Blake e Claudia Zeff, e alla squadra di Thames & Hudson di Roger Thorp, Julia MacKenzie e Amber Husain, per la loro gentilezza, pazienza e attenzione per il dettaglio.

Bruce vorrebbe esprimere la sua gratitudine a Sarah Chalfant e Luke Ingram dell'agenzia Wylie per il loro incoraggiamento e assistenza. Grazie al Centraal Museum e al Miffy Museum di Utrecht.

E infine, amore e ringraziamenti ai nostri figli, Alvie e Ted.

CREDITI FOTOGRAFICI

INDICE ANALITICO